Roman Bleistein

Sexualerziehung zwischen Tabu und Ideologie

Roman Bleistein

Sexualerziehung zwischen Tabu und Ideologie

in den Verlagen Echter - Tyrolia

2. Auflage 1972
Imprimi potest. Monachii, die 11. 11. 1970
Heinrich Krauss SJ, Praep. Prov. Germ. Sup. SJ
Gesamtherstellung: Fränkische Gesellschaftsdruckerei Würzburg
Umschlagfoto: Oswald Kettenberger
ISBN 3 429 00170 6 Echter
ISBN 3 7022 1024 5 Tyrolia

Inhalt

Vorwort

Im Bereich der Sexualerziehung ist es heute ein leichtes, die Tagträume der einen, die Ideologien der anderen in ein System zu bringen und zwischen zwei Deckel gepreßt der sowieso beruhigten Leserschaft zur weiteren Rechtfertigung anzubieten. Gegen den Strich zu schreiben – und sei es dadurch, daß man das Altbekannte nur auf neue Weise wiederhole, obgleich selbst verunsichert durch die Sicherheit der anderen, – fällt heute schwer. Nicht nur deshalb, weil man das Risiko des Verrisses eingeht; nicht nur, weil man im voraus schon einkalkuliert, achselzuckend beiseite gelegt zu werden, sondern allein darum, weil jedes Buch eine Bilanz zieht, vielleicht nur die schüchterne, unfrisierte Bilanz eines unbedeutenden Zeitgenossen. Wer aber möchte nach Abschluß der Bilanz nicht ernstgenommen werden? Im Blick auf Soll und Haben kann der Verfasser nur hoffen, daß keine »Rechenfehler« entdeckt werden, daß das Ergebnis stimmt.

Die Kapitel dieses Buches möchten als »Versuche« verstanden sein. Sie wollen ein Stück Vergangenheit (der Kirche) bewältigen und zu einem kleinen Schritt in die Zukunft ermuntern. Ob das Vorhaben gelang, muß der Leser beurteilen. Die meisten der Texte wurden auf Tagungen vorgetragen, mit Jugendlichen, Erziehern und Ärzten diskutiert, teilweise auch schon in »Stimmen der Zeit«, »Katechetische Blätter« und »Pädagogische Welt« publiziert. Für diese Ausgabe wurde alles noch einmal überdacht und neu geschrieben; vor allem wurden ausführliche Anmerkungen beigefügt.

Gerade bei den Fragen um Liebe und Geschlecht wird es zu einem alltäglichen Ereignis, daß hilflose Jugendliche ratlose Erzieher fragen. Weil beide dann gezwungen sind, die Maske ihrer glatten Sicherheit abzulegen, bekommt der Dialog, der keine Spiegelfechterei ist, eine Chance. Auf solchen Dialog ist dieses Buch aus. Es lädt Jugendliche und Erzieher, Progressive und Konservative (insoweit diese

Worte überhaupt einen Sinn haben) zum Dialog miteinander ein – und bittet alle jene um mildernde Umstände, die sich durch diese Blätter in ihren fixen Positionen nicht bestätigt finden. In den Überzeugungen, die hier vorgetragen werden, sollte eine Position der Mitte gefunden werden, nicht die eines faulen Kompromisses, sondern jene, die sowohl der Libertinage wie der ideologischen Verfremdung wie der nur an der Vergangenheit orientierten Bewahrungspädagogik vorausliegt. Nur im Glauben an den Menschen, der die absolute Mitte ist – Jesus Christus –, kann das den Menschen auch heute rettende Maß gefunden und gelebt werden.

Münster, 1. 11. 1970

I. Revision der Mutmaßungen und Vorurteile

Die Liquidation der öffentlichen Meinung geht in den großen Massenmedien lautlos vor sich; an ihrer Stelle macht sich die veröffentlichte Meinung breit, die der öffentlichen Meinung wohl täuschend ähnelt, in Wirklichkeit sich aber ebenso von ihr unterscheidet wie eine freie Entscheidung von einer manipulierten. Dieser Vorgang wirkt sich vor allem dort übel aus, wo es um sittliches Verhalten geht, zumal im sexuellen Bereich. Perverse Taten werden exemplarisch hochgespielt, ein kleines Sample von Befragten zu einer quasirepräsentativen Gruppe deklariert, das uninteressante Gute und Rechte wird wie immer klein gedruckt, und die Sensation des Schlechten und Abnormen in großen Buchstaben unter das Volk gebracht. Unbeantwortet bleibt dabei die Frage, ob hinter solchen Attacken auf überkommene Vorstellungen und Normen eine Verabredung von an der Destruktion Interessierten stehe oder ob eine Clique von Aufklärern, die sich selbst zu Schützern der Freiheit der übrigen ernannten, wie von selbst einander in die Hände spielt. Dieses Geschäft mit der veröffentlichten Meinung im Bereich der Sexualität bewegt sich auf verschiedenen Ebenen: auf einer wissenschaftlichen, auf einer pseudowissenschaftlichen, einer spekulierenden, einer pornographischen. Nur Tatsachen können über das Wunschdenken der einen Herr werden, können die von Befürchtungen diktierten Mutmaßungen der anderen korrigieren.
Um Stereotype und die Wirklichkeit verstellende Klischees abzubauen, muß man die Ergebnisse der Untersuchungen beachten, die über das sexuelle Verhalten der Jugendlichen angestellt wurden. Man kann das Folgende an der Börse der empirischen Forschung notieren.

1. Promiskuität

Wer regelmäßig Illustrierte (vor allem *konkret* und *Pardon*) und Jugendzeitschriften (wie *Twen* und früher *under-*

ground) liest, muß den Eindruck gewinnen: es entwickelt sich im sexuellen Verhalten der Jugendlichen, der jungen Männner und Frauen, von Tag zu Tag mehr eine großzügige und als Norm gültige Promiskuität. Berichte über das Leben der Kommunen[1], über Zeltlager sozialistischer Jugendgruppen[2], über das Urlaubsverhalten der jungen Leute[3], über die sexuellen Standards der Hippies und Groupies[4] legen derartige Schlüsse nahe, zwingen sie geradezu auf. In diesem Zusammenhang kommt eine von *Twen* veröffentlichte Untersuchung über das sexuelle Verhalten der 19jährigen zu folgenden Ergebnissen: 8% der 19jährigen sind überzeugt, daß die Gruppenehe die herkömmliche Art der Ehe ablösen wird, 44% sind da nicht ganz sicher, halten es aber für möglich, 46% glauben an den Fortbestand der Ehe zu zweit. Jeder dritte aber möchte die Gruppenehe einmal ausprobieren[5]. Selbst wenn die Ergebnisse dieser Untersuchung nicht eine zunehmende Promiskuität testieren (ganz davon abgesehen, daß die genauen Formulierungen der Fragen in *Twen* nicht vorgelegt werden), deuten sie keineswegs in die Richtung, die der zitierte Beitrag als Trend suggeriert: Auflösung herkömmlicher Normen, Zustand eines sittlichen Chaos, Wahllosigkeit ohne Maß und Grenze.

Mit diesen Suggestionen muß man die Erfahrungen der Kommunen konfrontieren, wie sie uns im Bericht der Kommune 2 jetzt vorliegen. Dort ist zu lesen:

> »Im wesentlichen war die Struktur der Kommune bestimmt durch länger andauernde Zweierbeziehungen. Diejenigen, die kein festes Verhältnis hatten, haben sich ihre wechselnden Sexualpartner fast immer außerhalb der Kommune gesucht. Es ist vorgekommen – zwei- oder dreimal –, daß jemand von uns mit jemand schlief, der mit einem anderen von uns ein festes Verhältnis hatte. Aber diese Tendenzen zur Promiskuität haben immer ähnliche Reaktionen hervorgerufen wie vor der Kommunezeit: Eifersucht, Konkurrenz, Angst vor dem Verlassenwerden. Was bei uns dabei anders war als durchschnittlich bei solchen Konflikten, war die Tatsache, daß

> man diese Ängste äußern konnte, und der Versuch, diese Reaktionen rationaler zu begreifen. Wenn also auch nicht jeder mit jedem ins Bett ging, so haben sich doch starke libidinöse Beziehungen innerhalb der Gruppe entwickelt.«[6]

Ferner kann man als kritische Instanz gegen diese Suggestionen die Untersuchungen heranziehen, die die Einstellungen Jugendlicher zur vorehelichen Sexualität erforschten. Selbst wenn man dort – verglichen mit früher – eine große Freizügigkeit des Verhaltens entdeckt, wird doch von Arbeitern und Studenten »der Freizügigkeit bei Liebe« der Vorzug vor »Freizügigkeit ohne Liebe« gegeben. So entschieden sich 1968 nur 34% der (20- bis 21jährigen) Arbeiter und 20% der gleichaltrigen Arbeiterinnen für »Freizügigkeit ohne Liebe«[7], während H. Giese und G. Schmidt bei den Studenten zu dem Schluß kamen:

> »Ausgeprägt häufiger Partnerwechsel ist unter den Studenten relativ selten. 1 bis 7% der männlichen Befragten und 1% der weiblichen Befragten der verschiedenen Altersstufen geben zwanzig und mehr Partner an. Soweit promiske Tendenzen im engeren Sinn überhaupt aus der Partnerzahl zu erschließen sind, kann man sagen, daß diese extreme Form des Sexualverhaltens unter Studenten äußerst selten ist.«[8]

Ähnlich lautet das Urteil von M. Schofield in seinem Buch *Das sexuelle Verhalten junger Leute* über die Jugendlichen Englands:

> »Nach unseren Ergebnissen gibt es zwar einige sexuelle promiske Jugendliche, doch stellt die Promiskuität keinesfalls ein verbreitetes Verhaltensmuster dar.«[9]

Bei einem Vergleich der simplifizierenden Aussagen in den großen Massenmedien mit den von der empirischen Sexualforschung erhobenen Daten erweisen sich erstere als Manipulationen, zumindest als überbewertende Darstellungen von Randgruppen, die sich selbst als »underground« verstehen. Man muß demnach betonen, daß unter den Jugendlichen praktisch kein promiskes Sexualverhalten anzutreffen ist[10].

2. Voreheliche Sexualität

Die traditionellen Normen unterstellten voreheliche Keuschheit, vor allem aber die Unberührtheit der Frau vor der Ehe. Zumindest seit den, wenn auch teilweise umstrittenen, Untersuchungen von A. C. Kinsey und seinen Mitarbeitern[11] hat sich die Überzeugung verbreitet: diese Norm wird nicht mehr eingehalten, sie gilt praktisch nicht mehr. Man darf wohl sagen, daß die publizistische Propaganda der Untersuchungen von A. C. Kinsey nicht nur zu einer Desillusionierung der Erzieher, sondern auch zu einer Nivellierung des sexuellen Verhaltens überhaupt beigetragen hat.

Wenn heute festgestellt wird, daß 81% der (20- bis 21jährigen) deutschen Arbeiter und 83% der gleichaltrigen deutschen Arbeiterinnen, daß 44% der (20- bis 21jährigen) deutschen Studenten und 33% der gleichaltrigen deutschen Studentinnen über Koituserfahrungen verfügen[12], dann genügt es nicht, wenn G. Schmidt in diesen Daten die drei folgenden Trends verifiziert sieht:

> »1. Westdeutsche Arbeiter haben den ersten Koitus sehr viel früher (im Durchschnitt 4 Jahre früher) als westdeutsche Studenten. Die Gymnasiasten sind die Gruppe Jugendlicher, bei denen die sexuelle Repression am stärksten durchgesetzt werden kann, da sie sich aus der ökonomischen Abhängigkeit und der Bevormundung von Eltern und Schule erst viel später lösen können als Arbeiter.
> 2. In den skandinavischen Ländern nehmen Jugendliche Koitusbeziehungen früher auf als in Deutschland und England.
> 3. Mädchen nehmen Koitusbeziehungen zwar durchweg etwas später auf als Männer, doch die Unterschiede sind nur gering ausgeprägt.«[13]

Es müßte zur Bewertung des Verhaltens noch dreierlei angemerkt werden. Einmal daß die vorehelichen intimen Sexualbeziehungen seit 1900 kaum angestiegen sind. R. R. Bell beschließt seine sehr eingehenden Studien über diesen Problemkreis mit dieser Quintessenz:

»Es liegen keine Beweise dafür vor, daß in der Zeit seit etwa dem ersten Weltkrieg bis heute (Beginn der sechziger Jahre) die Verbreitung des vorehelichen Koitus zugenommen hat.«[14]

Zu einem ähnlichen Resultat kommt O. Brüggemann, wenn er die Ergebnisse einer Untersuchung von W. Stern und W. Hoffmann über »Sittlichkeitsvergehen an Höheren Schulen und ihre disziplinare Behandlung« (aus dem Jahre 1928) mit seinen eigenen, ähnlich gerichteten Untersuchungen aus den Jahren 1963/64 vergleicht. Er schreibt:

»Abgesehen von der Vorverlegung aller geschlechtlichen Reifungstermine, die an sich sehr ernst zu nehmen und gerade sexualpädagogisch wichtig ist, hat sich an diesen Determinanten in den letzten Jahrzehnten (und noch viel weiter zurück!) kaum etwas geändert. Was sich aber wirklich geändert hat, das ist neben anderen sexualsoziologischen Gegebenheiten die Publizität des jugendlichen Sexualverhaltens.«[15]

»Die ›sexuelle Emanzipation‹ der heutigen Jugend, soweit sie Gymnasien besucht, ist also im faktischen Sexualverhalten keineswegs so ›frei‹, wie eine gewisse Publizistik gerne darstellt und wie sich die Jugend infolge ihrer eigenen Publizistik auch selbst versteht! Auch die ›Pille‹ und das ›petting‹ und was es sonst noch an Symbolen der sexuellen Freiheit geben mag, ändern nichts Wesentliches daran, daß alles, was junge Menschen auf sexuellem Gebiet heute tun, und auch alles, was sie nicht tun, genau so die vorige, ja sogar die vorvorige Generation getan oder nicht getan hat! Insofern ist das aufgeputschte Interesse der Öffentlichkeit an ›Jugendsexualität‹ weitgehend eine (teilweise wohl auch nicht bewußt übertriebene und gesteuerte) Selbsttäuschung.«[16]

Diese Tatsachen werden durch die Untersuchungen von V. Graf Blücher[17], I. Haas[18], E. Göbel[19], W. Küppers[20] und H. Bertlein[21] erhärtet, selbst wenn man für das Jahr 1970 eine gewisse Änderung des Verhaltens wohl annehmen darf.[21a]

Als zweites muß zur Kritik dieser drei von G. Schmidt genannten Trends zitiert werden, was H. Giese und G. Schmidt – vor allem bei Studenten – bemerkten.

»Die sexuelle Enthaltsamkeit vor der Ehe ist lediglich abgelöst worden von sexuellen Beziehungen mit einem einzigen Partner, zu dem eine Liebesbeziehung besteht und den man heiraten möchte. Der Zeitpunkt sexueller Beziehungen wird vor die Heirat verlegt, zugleich aber herrscht die Meinung vor, daß auch die voreheliche Sexualität monogam sein und in die Ehe münden sollte. Damit ist die Sexualität der meisten unverheirateten Studenten im Wortsinn *vorehelich:* Sie kopieren und antizipieren ›Ehe‹ für den Familienstand ›ledig‹.«[22]

G. Schmidt kommt am Ende seines Beitrags, trotz aller Hervorhebung der »liberalen« Einstellung, doch noch zu dem Schluß: »Der Trend ist deutlich: bei einer Ablehnung der überkommenen vorehelichen Enthaltsamkeitsnorm ist eine Akzeptierung der traditionellen Ehe und Familie – inklusive des sexuellen Ausschließlichkeitsanspruches – weit verbreitet.«[23]

Der in diesen Tatsachen und Interpretationen enthaltene personale Anspruch sollte nicht übersehen werden. Er wird in der Bewertung dieser neuartigen Situation gewiß eine Rolle spielen müssen, vorausgesetzt, man ist – im Gegensatz zu H. Giese und G. Schmidt – bereit, Tatsachen Tatsachen sein zu lassen (ob sie einem passen oder nicht), so daß es wenig wissenschaftlich ist, sie gegen die methodische Fairneß einer an sich wertfreien Soziologie abwertend zu kritisieren.[24]

Endlich wäre noch auf die nicht geringe Differenz hinzuweisen, die zwischen gewünschtem und tatsächlichem vorehelichen sexuellen Verhalten bei den jungen Menschen offenbar wird. M. Schofield entdeckte bei seinen Untersuchungen, daß 45% der Jungen und 34% der Mädchen Geschlechtsverkehr vor der Ehe für falsch halten[25], daß 64% der Jungen gerne eine unberührte Frau heiraten möchten und 85% der Mädchen bei der Hochzeit noch Jungfrau sein möchten[26] und daß »voreheliche Beziehungen unter Teenagern keineswegs universell verbreitet sind; über zwei Drittel der Jungen und drei Viertel der Mädchen unserer Stichprobe haben noch nie Koitus praktiziert«.[27] Allerdings sieht er sich dann doch veranlaßt zu sagen, daß es sich nicht um ein Minoritätsproblem handle, daß es keineswegs lediglich ein paar »Entgleiste« seien. Voreheliche Koitusbeziehungen seien in gewissem Umfange eine »Manifestation jugendlicher Konformität«.[28] Ob die Öffentlichkeit die Einstellung der jungen Menschen einfach zur Kenntnis nehmen und würdigen soll oder ob sie alles daran setzen muß, diese Einstellungen – vielleicht unter dem Vorwand, sie seien der letzte Rest der Doppelmoral – zu ändern, ist eine Frage, die nur von einer Gesamtkonzeption der Sexualerziehung wie vom Verständnis der Sexualität überhaupt her beantwortet werden kann.[28a]

3. *Masturbation*

Durch A. C. Kinseys Untersuchungen[29] drang es ins Bewußtsein eines sich unaufgeklärt gebenden Publikums, daß die Masturbation im Jugendalter die häufigste sexuelle Praxis darstellt. Nach neuesten Untersuchungen unter deutschen (20- bis 21jährigen) Arbeitern ergeben sich dabei folgende Werte: Mit 13 Jahren masturbieren 40%, mit 15 Jahren 82%, mit 17 Jahren 90%, mit 19 Jahren 92%. Für die Mädchen lauten die entsprechenden Zahlen: 17%, 27%, 37%, 43%.[30] Bei Studenten und Studentinnen verhalten sich – mit kleinen Abweichungen – die Ergebnisse ähnlich: mit 13 Jahren 53% zu 19%, mit 15 Jahren 76% zu 28%, mit 17 Jahren 85% zu 32%, mit 19 Jahren 88% zu 40%.[31] Was die Häufigkeit der Masturbation betrifft, so masturbieren die 15- bis 18jährigen Jungen ziemlich regelmäßig, durchschnittlich 6- bis 8mal monatlich, während die Mädchen im gleichen Alter die Masturbation mehr sporadisch vollziehen, etwa 2- bis 3mal monatlich.

Gerade auch als Erfolg der Schriften von S. Freud über die frühkindliche Sexualität und als Folge der bekannten »Onaniediskussionen« (1905) wurden die oft unsinnigen Straf- und Folgeandrohungen für Masturbation allmählich abgebaut. Die Einstellung der Masturbation gegenüber wurde »liberaler«, was gewiß auch die Hemmung überwinden half, dieses Tun zu verschweigen.

G. Schmidt kommentiert die Untersuchungsergebnisse:

»In der letzten Zeit setzt sich aber eine andere Haltung der Erwachsenen zu der Masturbation Jugendlicher mehr und mehr durch: Statt die Masturbation abzulehnen, dulden viele Erwachsene die Masturbation und raten sogar dazu, um die Jugendlichen von anderen Betätigungen abzuhalten, um wenigstens Koitusbeziehungen im Jugendalter zu verhüten. Diese scheinbar liberale Einstellung zur Masturbation – die Masturbation nur als das kleinere Übel akzeptiert – ist bürgerlichen Vorstellungen von Jugendsexualität beinahe ebenso verpflichtet wie die bekannten Drohungen mit Rückenmarksschwindsucht, Entkräftung, geistigem Verfall, Impotenz.«[32]

Dieses Urteil scheint mir gerade jene tiefenpsychologische Aufmerksamkeit für das komplexe Faktum Masturbation vermissen zu lassen, wie sie in den Büchern von A. Alsteens *Tabu im Reifungsprozeß* und A. Jordi *Anthropologischer Beitrag zum Verständnis der männlichen Masturbation* vorhanden ist. Doch soll von Bewertungsfragen erst später die Rede sein.

4. Petting

Schon 1959 stellte H. H. Muchow in seinem Buch *Sexualreife und Sozialstruktur der heutigen Jugend*[33] ein ausgeprägtes Leibempfinden beim jungen Menschen fest. Dieses Leibempfinden tritt nicht zuerst im Bereich der Sexualität in Erscheinung; es zeigt sich bei Spiel und Sport, bei Tanz und Begegnung in einer großen Unbefangenheit, Heiterkeit und auch Freizügigkeit. Das weithin positive Verhältnis des jungen Menschen seinem eigenen Leib gegenüber äußert sich nun selbstverständlich auch bei der Begegnung der Geschlechter. Um einen falschen Eindruck zu korrigieren, muß man sagen: Vermutlich haben früher übliche Praktiken jetzt erst ihren »Namen« erhalten.

Heute wird das Petting in verschiedenen Arten geübt: Küssen, Brustpetting, genitales Petting, sei es daß der Mann, sei es daß die Frau aktiv ist. Dabei erhebt die Sexualforschung folgende Daten: Küssen bei 18jährigen – laut M. Schofield – 92% der Jungen, 96% der Mädchen, Brustpetting 69% zu 62%, genitales Petting: Mann aktiv 56% zu 40%, genitales Petting: Frau aktiv: 44% zu 31%[34]. Bei deutschen Arbeitern und Arbeiterinnen liegen – mit Ausnahme des Küssens – die Ergebnisse durchschnittlich um 20% höher[35]. Was die deutschen Studenten und Studentinnen betrifft, fassen H. Giese und G. Schmidt im Hinblick auf die Verbreitung des Pettings ihre Einsichten in diese Sätze:

> »Im Alter von 25 Jahren haben rund 70% der Studenten und Studentinnen Pettingerfahrung, die manuell-genitale Kontakte einschließen. Die meisten Studenten nehmen das Petting zwischen fünfzehn und einundzwanzig Jahren auf. In beiden Geschlechtern kommt es durchschnittlich (Medianalter) mit zwanzig Jahren zum ersten Kontakt: Etwa die Hälfte aller Befragten haben bis zu diesem Alter zumindest ein Pettingerlebnis gehabt. Noch während der Gymnasialzeit (bis zum neunzehnten Geburtstag) sammeln fast zwei Fünftel der männlichen und ein Drittel der weiblichen Befragten Pettingerfahrungen. Petting ist bei westdeutschen Studenten und Studentinnen eine gleichermaßen weitverbreitete sexuelle Erfahrung.«[36]

Wie die Sexualstatistik deutlich macht, nehmen Mädchen Pettings – vor allem in den intensiveren Formen – etwas später als die Jungen auf, gleichen sich dann aber ab dem 18. Lebensjahr dem Verhalten der Jungen an.

Gerade die verschiedenen Formen der Pettings erfordern eine unterschiedliche Bewertung: die leichten Formen als »ein Übergangsstadium in der heterosexuellen Entwicklung«, »ein Einüben und Erlernen heterosexueller Verhaltensweisen und Partnerbeziehungen«, die intensiveren Formen »ein Ausbau der Pettings zur heterosexuellen Ersatzbefriedigung«, laut G. Schmidt: »ein sinnloser Tribut der Jugendlichen an die sie unterdrückende Umwelt.«[37]

Je mehr man diese Veränderung in der Begegnung der Geschlechter zur Kenntnis nimmt, die eine gewiß unerfreuliche Prüderie ablöst, um so mehr wird man einsehen, daß man nur mit einem differenzierenden Urteil diesem Phänomen gerecht wird. Dieses Urteil wird dadurch erschwert, daß eine Phänomenologie dessen, was man Leibempfinden, Leibgefühl, Leibbesitz nennen könnte, bisher nicht vorhanden ist und es einer groben Vereinfachung gleichkäme, diese Erfahrungen über den Leisten der »verbotenen Lust« zu ziehen.

5. *Homosexualität*

Immer schon – auch nach dem Zeugnis der Literatur – fanden sich im Jugendalter bestimmte Formen von Freundschaften, die eines homo-erotischen Charakters nicht entbehrten und die man mit der Etikette »Homosexualität« gewiß abqualifiziert hätte; denn die intime Nähe junger Menschen – vor allem von Mädchen – war über jeden »grobsexuellen Verdacht« erhaben.
Nach der Feststellung von A. C. Kinsey und seinen Mitarbeitern ist Homosexualität ein weitverbreitetes Phänomen, zumindest bei Männern. M. Schofield ging – wenn auch nur am Rande seiner Untersuchung – dieser Frage nach und berichtete, daß 23% der Jungen an Jungenschulen erklärten, in ihrer Anstalt würden homosexuelle Praktiken ausgeübt, daß 4% zugaben, selbst teilgenommen zu haben. In den Schulen mit Koedukation waren es 17%. Hier gestanden 5% ihre eigene Teilnahme ein. Wegen des mangelnden Kontaktfeldes liegen die Zahlen bei Internaten höher: 44% wußten, daß derlei in der Anstalt getan wurde, und 28% bekannten, daran beteiligt gewesen zu sein. Bei Mädchen bewegen sich die erhobenen Werte auf niedrigerem Niveau: »Homosexuelle Betätigung übten 13% der Schülerinnen reiner Mädchenschulen und 10% der Schülerinnen von Koedukationsschulen. Für die Internate betrug der Satz um 39%.«[38]
H. Giese und G. Schmidt berichten über deutsche Studenten

diese Ergebnisse: Bei den 20jährigen Studenten hatten 18% homosexuelle Erfahrungen, bei den Studentinnen nur 3%[39]. Da der Hauptanstieg der Verbreitung homosexueller Beziehungen bis zum 16. Geburtstag erfolgt, läßt dies darauf schließen, »daß die homosexuellen Kontakte bei den von uns untersuchten männlichen Probanden vor allem eine Erscheinungsform jugendlicher Sexualität sind.«[40] Über die Studenten können H. Giese und G. Schmidt abschließend sagen, daß Homosexualität unter amerikanischen Studenten weiter verbreitet ist als unter deutschen[41].
Man geht wohl nicht fehl in der Annahme, daß Homosexualität mehr auf der Ebene homoerotischer Beziehungen im Reifealter einzuordnen ist; denn obgleich gegen den Paragraphen 175 BGB bis zu 83% der Neunzehnjährigen eingestellt sind, haben gemäß der neuesten Untersuchung nur 17% der befragten Jungen und 9% der befragten Mädchen entsprechende Erfahrungen gehabt[42]. Andersgeartete Eindrücke aufgrund von Illustriertenberichten bedürfen also einer Korrektur.

6. *Die neue Moral*

Mit einem großen Pathos wird immer wieder aus den Daten sexualstatistischer Untersuchungen die Konsequenz gezogen: Es herrscht eine neue Moral, die deutlich mit der »alten Moral« kontrastiert. So stand etwa 1969 in *Twen:*

> »Die DIVO-Interviewer wollten auch genau wissen, wie die Mädchen und die jungen Männer zu einzelnen Aspekten der gängigen Moral stehen. Das Ergebnis setzt sich zu folgendem Mosaik zusammen: Daß Eltern ihren Sohn mit seiner Freundin und die Tochter mit dem Freund nicht in ihrem Haus übernachten lassen dürfen, das finden nur acht Prozent der Befragten in Ordnung. Daß Homosexualität unter Strafe gestellt wird, fanden nur elf Prozent in Ordnung. Daß Ehescheidungen erschwert sind, finden nur sieben Prozent in Ordnung. Daß der Geschlechtsverkehr junger Menschen nicht gutgeheißen wird, finden nur vier Prozent in Ordnung. Daß Mittel zur

Geburtenkontrolle offiziell angeboten und verkauft werden, finden nur sieben Prozent nicht in Ordnung. Daß eine unverheiratete Mutter schlecht angesehen wird, findet überhaupt niemand in Ordnung (null Prozent), und nur jeder hundertste hält es für richtig, daß uneheliche Kinder schlechter gestellt sind. Und daß sehr freizügige Darstellungen in Filmen und Illustrierten geboten werden, löst auch nur bei jedem zehnten Mißfallen aus. Insgesamt schneidet also die ›offizielle‹ Moral in der Bundesrepublik in den Augen der jungen Menschen nicht allzu günstig ab.«[43]

Selbst wenn DIVO dann einräumt, daß man einen »Großteil der Abweichungen von den traditionellen Normvorstellungen auf das Konto von Sturm und Drang« buchen müsse, ist über die Behauptung hinaus, daß die Normen dieser Generation entstammen, daß sie in ganzer Freiheit übernommen sind (was immer man darunter verstehen mag), strukturell und inhaltlich kaum etwas gesagt.

Will man kurz das Neue und Gültige dieser »neuen Moral« charakterisieren, müßte man sagen: Die neue Moral besteht in ihrem gültigen Kern im Anspruch auf personale Partnerschaftlichkeit, in der Ablehnung jeder Doppelmoral und setzt die Ehe- und Familienorientiertheit der heutigen jungen Menschen[44] in die entsprechenden Normen des sexuellen Verhaltens um.

Eine Differenz zwischen idealer Moral und realem sittlichen Verhalten im Bereich der Sexualität hat immer bestanden. Sie ist heute nicht wesentlich größer als früher, ist heute nur mehr publik. Sie wird aber heute von einer »prosexuellen Propaganda« als Ansatzpunkt einer radikalen, sehr wertbestimmten, teilweise politischen Aufklärungsideologie benützt, die nur selten ihre weltanschaulichen Aprioris eingesteht[45].

II. Last und Verhängnis der Geschichte

Jede Gegenwart hat die Last ihrer Vergangenheit zu tragen. Auf uns kam das zweifelhafte Erbe einer wilhelminisch-viktorianischen Epoche, in der Leib und Sexualität aus Gründen der Sittsamkeit und Wohlerzogenheit tabu waren, wogegen die Wirklichkeit, die hinter dieser Fassade der Konvention sich vollzog und teilweise in der Literatur und der bildenden Kunst zum Vorschein kam, vermutlich nicht wenig von der idealen Forderung abwich. Heute macht man für die allgemeine negative Bewertung der Sexualität gnadenlos die Kirchen verantwortlich. Selbst wenn eine derartige Argumentation gut in eine antireligiöse und antikirchliche Mentalität hineinpaßt, entspricht sie nicht der geschichtlichen Wahrheit. Gegen das vorschnelle Urteil »Das Christentum hatte Eros töten wollen« schrieb J. van Ussel eine ausführliche Studie über »die Geschichte der Sexualfeindlichkeit« unter dem Titel *Sexualunterdrückung*. Er sagt dort in der Einführung:

> »In der vorliegenden Studie soll der Nachweis versucht werden, daß das Christentum an der typisch westlichen antisexuellen Einstellung weniger Schuld trägt, als durchweg (auch von christlichen Autoren) angenommen wird. Wir glauben vielmehr, daß die Verbürgerlichung der Gesellschaft dazu führte, daß ein völlig neuer Menschentyp, neue zwischenmenschliche Beziehungen, sozio-ökonomische Verhältnisse und somit eine neue antisexuelle Haltung entstanden.«[1]

In seinem Buch führt J. van Ussel diesen Nachweis stichhaltig, deutlich und eindringlich. Dennoch ist nicht zu bestreiten, daß auch die katholische Kirche durch ihre religiöse und moralisch-kasuistische Unterweisung, durch Mißverständnisse in der Pneuma-Sarx-Lehre des Apostels Paulus, durch eine Engführung in der Erbsündentheologie, durch einen unterschwelligen Manichäismus das ihre zur Geschlechts- und Leibfeindlichkeit beigetragen hat. Aber, wie gesagt, der Einfluß der allgemeinen Öffentlichkeit ist nicht zu übersehen: in der Identifizierung von Sittlichkeit und Sexualität, in der Angst vor einer Leidenschaft, die an die Grundfesten einer für sicher geltenden Gesellschaftsordnung rühren würde, in der gänzlich strengen und autoritären Erziehung[2].

Im Folgenden sollen nur die wesentlichen Gesichtspunkte der katholischen Sexualerziehung der letzten hundert Jahre zur Darstellung kommen, die – wenn auch nicht mehr bewußt, so doch vielleicht unbewußt, auch und gerade in den Gegenpositionen – in manchen Publikationen zu diesem Thema fortwirken. Jede Bewältigung von Vergangenheit kann nicht in einer ungeschichtlichen Verdammung des Gestrigen bestehen; sie hebt Tatsachen ins Bewußtsein, legt Wurzeln und Tendenzen und Mentalitäten frei und eröffnet durch Kritik und Revision den Weg in eine bessere Zukunft.

Die moraltheologischen Aspekte einer früheren Sexualerziehung wurden aus diesen Büchern erhoben: Adolf von Doß SJ, *Gedanken und Ratschläge* (1861, 29. Aufl. 1924); Alban Stolz, *Erziehungskunst* (1873, 8. Aufl. 1911, Volksausgabe 1929); Hardy Schilgen SJ, *Du und Sie* (1924, im 45. Tausend 1929). Die drei Bücher zählen zu den Bestsellern auf diesem Gebiet; die Höhe ihrer Auflagen beweist dies zur Genüge. Wohl jeder katholische Jugendliche hatte sie in den Händen und bezog aus ihnen die Normen und Motivationen seines sexuellen Verhaltens. Die theoretische Reflexion über dieses Verhalten findet sich in: Fr. W. Foerster, *Sexualethik und Sexualpädagogik* (1907, 6. Aufl. 1952) und in: J. Schröteler (Hrsg.), *Die geschlechtliche Erziehung* (1929)[3].

Es ist teilweise erheiternd, in den genannten Büchern zu lesen, wenn es einem zur gleichen Zeit nicht zum Weinen wäre; denn das Urteil, das über die sexualpädagogische Kleinschriftenliteratur der Nachkriegszeit gefällt wurde[4], gilt ohne Abstriche für diese Publikationen: sie betreiben »antisexuelle Propaganda«. Wo liegen die Gründe für diese leib- und geschlechtsfeindliche Mentalität, die einerseits – mit Berufung auf die Bibel – festhält: Alles ist gut, denn alles ist von Gott geschaffen, andererseits aber sofort mit einem pessimistischen Aber zur Hand ist?

In einer kurzschlüssigen Exegese werden die Begriffe »Fleisch« und »Geist« (sarx und pneuma) bei Paulus (Römerbrief 7. Kap.) ohne Bedenken über den Leib (»Fleisch«) und über den oft sehr idealistisch verstandenen Geist ausgesagt[5]. Das Fleisch ist finster, willenlos, triebhaft, unrein und führt in den »Sumpf«, der Geist ist heiter, liebevoll, durchdrungen von hohen Idealen und weiß um Würde, Ehrfurcht und Achtung. Fr. W. Foerster spielt das gleiche Thema mit den Begriffen »Natur« und »Geist« durch[6]. Kein Wunder, daß Alban Stolz den Leib abwertet:

> »Der menschliche Leib ist nämlich infolge der Erbsünde höchst anmaßlich; er ist nicht wie das Tier in allweg durch den Instinkt geleitet, er begehrt sinnlichen Genuß um jeden Preis, ohne Rücksicht auf eigene Erhaltung und noch weniger auf sittliche Gesetze, und treibt den Menschen, der seinen sinnlichen Genüssen vollständig die Zügel schießen läßt, in das Spital oder Zuchthaus oder Irrenhaus, meistens aber in den vorzeitigen Tod. Der Leib ist deshalb ein höchst gefährlicher Gefährte der Geistesnatur. Anderseits hat er aber mehr Biegsamkeit und Bildsamkeit als irgendein animalisches Wesen: er kann bestialisch werden und auch die Seele herabziehen, daß sie seine gehorsame Dienerin wird, oder der Leib kann ein edles, würdiges Werkzeug für den gottähnlichen Geist werden.«[7]

Unmittelbar daraus ergibt sich, daß die Schönheit des Leibes verdächtig ist[8] und nur als hinfällig gesehen wird; sie bedeutet im Vergleich zur ewigen Schönheit Gottes schier nichts. Wenn sich dieser Leib »rührt«, dann ist das eine »unreine Lust«, eine »Tierlust«[9]. Die Leidenschaft ist etwas schlechtes, gilt als »sinnlich, selbstsüchtig«[10], macht den Menschen zum »Sklaven«[11]. Selbst Fr. W. Foerster läßt sich zu folgenden Sätzen hinreißen:

> »Man vergißt aber, daß der Geschlechtstrieb selber ein Gassenjunge ist, der auch aus der besten Aufklärung vor allem heraussucht, was ihn erregt und stachelt.«[12]

Daß der Geschlechtstrieb insgesamt etwas Unheimliches, Dämonisches an sich hat, wird stark herausgehoben[13].

Die im Grunde auf einem Mißverständnis beruhende Interpretation der Aussage des Apostels Paulus dient als Vehikel eines platonischen Dualismus, der – manichäisch verfremdet – nicht schlimmer hätte gedacht werden können. Was in den Büchern geistlicher Autoren verkündet wurde, wurde im Vulgärkatholizismus sicher noch simpler gelebt. Die Dogmatik leistete auch ihren Beitrag, um in diesem Bereich schiefe Akzente zu setzen. Die Erbsünde wurde – zumal in ihren Wirkungen – so einseitig dargestellt, daß sie im Bereich des Sexuellen am verhängnisvollsten zu Tage trat. H. Schilgen konnte behaupten:

> »Nirgends hat sich die Folge des Sündenfalles der Stammeltern so furchtbar ausgewirkt wie auf dem geschlechtlichen Gebiete.«[14]

Alban Stolz beschreibt diese Auswirkungen wiederum in seiner deftigen Sprache:

> »Der Leib mit seinem Sinnenleben ist dem Geist gegenüber furchtbar anmaßlich geworden, er sucht und hat vielseitig die Herrschaft über den ganzen Menschen; und während die geistige Natur des Menschen so geneigt ist, Sklave der Sinnlichkeit zu werden, statt über diese zu herrschen, trägt sie in sich selbst die Geneigtheit zur Hoffart des Teufels, etwas für sich zu sein, ein Rebell gegen Gott, von dessen Willen sie sich in treuem Gehorsam sollte leiten lassen. Daher findet man allgemein in der Welt Fleischeslust, Augenlust und Hoffart des Lebens.«[15]

Leib, Triebhaftigkeit, die den Verstand knechtende Lust deuteten diese Unordnung im Menschen an, eine Erkenntnis, die im letzten auf die augustinische Konzeption von der Paradiesesehe zurückgeht. Augustinus war nämlich der Meinung, der Mensch habe im Paradies seine Sexualorgane ebenso direkt wie Hand und Fuß beherrscht, die eheliche Begegnung sei damals ohne Lust geschehen, der Mensch sei durch die geschlechtlichen Erlebnisse nicht einfach fortgerissen worden[16]. Die Konklusion leuchtet ein: Der jetzige bedauernswerte Zustand ist eine Folge des Sündenfalls. Michael Müller, der sich vor allem mit der »Lehre des heiligen Augustinus von der Paradiesesehe« befaßt hat, korrigiert diese Aussagen:

> »Eine Ausdehnung der Folge des Sündenfalles auf die psychophysischen Vorgänge des Geschlechtslebens ist... unhaltbar. Thomas hat bereits den Grundsatz ausgesprochen: ›Die Eigenart der Natur wurde durch die Sünde nicht verändert.‹ Die Theologie formulierte dann die prinzipielle Erklärung: ›Naturalia permanserunt integra‹"[17]

Ebenso wirkt sich in diesen moraltheologischen Positionen jenes im Mittelalter grassierende Wunschbild des den Körper souverän beherrschenden Geistesmenschen aus, der sich durch die wider Vernunft und Willen verlaufenden »sexuellen Regungen« gedemütigt sah. Selbst Martin Luther sprach deshalb von »sündhafter, böser, fleischlicher Lust« und formulierte den lapidaren Satz: »Keyn ehepflicht on sund geschicht.«[18] Davon liegt die Formulierung von A. von Doß nicht weit entfernt, der Sinnlichkeit definiert: »Die Gier nach Lust und tierischem Wohlsein.«[19]

Bei dieser Abwertung von Leib, Lust und Leidenschaft mußte es sich notwendig ergeben, daß »Sittlichkeit« als sexuelle Sittlichkeit verstanden wurde und daß sexuelle Sittlichkeit dann noch mit größter Kasuistik als Sündenlehre ausgebaut wurde. Das sechste Gebot – zumal die Masturbation – wurde zur größten Sünde[20] und die Keuschheit über alle Maßen gelobt[21]. Symptomatisch dafür ist die Aufmerksamkeit, die die folgenden Tugenden bei Alban Stolz finden: Keuschheit wird auf 24 Seiten besprochen, Gehorsam auf 10 Seiten, Rechtssinn auf 8 Seiten, Wahrhaftigkeit auf 7 Seiten, Dankbarkeit auf 3 Seiten und Erweis der Liebe zu Gott – auf einer ganzen Seite[22].

Gott hat endlich – in seiner Vorsehung und Weisheit, die gerade in diesen Zusammenhängen immer gepriesen wird[23] – die Lust gewollt, damit die Menschen sich überhaupt an das lastbringende Geschäft der Fortpflanzung heranmachen[24], eine Lust-Last-Theorie, die gerade die finis-primarius-Lehre erneut bestätigt und begründet. Der erste und entscheidende Zweck der Ehe ist das Kind, die Ehe erschöpft sich als Fortpflanzungsinstitut, wobei dann natürlich – wenn auch nur mit Nachsicht – der Gedanke des »remedium concupiscentiae« nicht vernachlässigt wird. A. Stolz bringt die Theorie in den Satz:

»Auch schon die beliebige und zwecklose Befriedigung der Geschlechtslust, wie es wohl bei den meisten Eheleuten stattfindet, erzeugt eine Art Bedürfnis, das leicht den Geist herabzieht und der niedrigsten Lust dienstbar macht.«[25]

Die Moraltheologie, soweit sie in diesen Publikationen genuin zum Vorschein kommt, wendete also diese exegetischen und dogmatischen Einsichten auf das sittliche Verhalten des Menschen an und erwies sich darin allzu deutlich als Sündenlehre; sie vollzog nur ein Gericht. Jene theologische Disziplin, die der »Ausrichtung« des Menschen auf Gott und sein Heil dienen sollte, erwies sich als »Hinrichtung« des Menschen. Von einer unreflektierten Psychologie herkommend[26], in das Naturrechtsdenken vertieft (wobei die Vorsehung Gottes immer mitgedacht wird[27]), erteilte sie kasuistische und moralisierende Imperative, die insgesamt eindeutige Marschbefehle in eine überschaubare Zukunft waren, da die Zeiten für sicher galten und der Mensch in seiner Natur als statisch verstanden wurde.

Solche theologische Grundlagen konnten für die Praxis nur unzureichende Imperative setzen. Ein Hauptargument für Keuschheit und sittliches Leben war – mit emotionaler Wucht vorgetragen – das Argument der Angst: Angst vor dem allwissenden Gott, vor der Hölle, vor dem Gericht, vor dem unehelichen Kind, vor Alimenten, vor Geschlechtskrankheiten[28]. Einen Höhepunkt derartiger Indoktrination stellte jener Passus bei Alban Stolz dar, in dem er die Erscheinungen nennt, die bei einem Jugendlichen auf die Sünde der »Selbstbefleckung« hinweisen:

»Verdacht erwecken muß: bleiches Gesicht, schneller Wechsel der Gesichtsfarbe, häufige Blätterchen im Gesicht, blaue Ringe um die Augen, abgestandene Haut und tiefliegende Augen, stierer Blick, übelriechender

Atem, verdächtige Haltung des Leibes und der Hände, z. B. oft die Hände unter der Schulbank haben, eigentümlich sitzen. Ferner muß Verdacht erwecken, wenn ein Kind bisweilen besonders lang auf dem Abtritt verweilt, unwillkürlich den Blick auf Personen des anderen Geschlechtes richtet, und zwar nicht auf das Gesicht derselben, sondern auf andere Teile des Leibes. Ferner zeigt sich bei solchen Kindern auffallende Zerstreutheit, leichtes Erschrecken, trübe Laune, Düsterheit, Teilnahmslosigkeit an den Spielen der Kinder ... Eine merkwürdige Erscheinung zeigt sich bei solchen Personen, welche jahrelang während des Wachstums jenem Laster ergeben waren. Viele bekommen nämlich auffallende Gesichtsähnlichkeit mit Affen, selbst wenn sie als jüngere Kinder ganz hübsche Gesichtsbildungen hatten, wie ihre unverdorbenen Geschwister jetzt noch haben mögen. Nun aber ist der Affe das einzige Tier, bei welchem jene Abscheulichkeit vorkommt. Es mag einem überwiesenen oder geständigen Sünder dieses zur Abschreckung gesagt werden.«[29]

Weitere Gebote für die Erziehung des Jugendlichen lauten: Bewahrung (in der Abwertung von Turnen, Tanzen, Schwimmen), Ablenkung[30], Bekämpfung der als unrein und unheilvoll bezeichneten Lust und eine weitgehende Tabuierung des gesamten sexuellen Bereichs im Wissen, im Schauen, im Erleben nach dem Grundsatz: Nie zuviel sagen, nie zu früh sagen. Es geht um eine unschuldige Kinderseele! Dem Problem von Schicklichkeit und Schamhaftigkeit wird natürlich dabei die entsprechende Beachtung geschenkt: man produzierte Prüderie.

Nun könnte man zum Beweis der Prüderie und der Tabus »schöne« Texte aus Anstandsbüchern um die Jahrhundertwende zitieren; man könnte die Religionsbücher seit der Reformation verfolgen wie das W. Braun in seinem lesenswerten Buch *Geschlechtliche Erziehung im katholischen Religionsunterricht* tat[31] und zu dem erstaunlichen Ergebnis kam, daß die ängstlichen und prüden Texte erst im Gefolge der Philanthropen und von J. J. Rousseau in die Katechismen gerieten; man könnte die bekannten bischöflichen Verlautbarungen zu Sitte und Sittlichkeit – Verordnungen gegen ungeziemende Frauenkleidung, gegen das Familienbad, über die Länge des Rockes, gegen unzulässige Kommunionkleidung – aus den Jahren zwischen 1920 und 1930 ins Gedächtnis rufen[32]. Aber auch hier soll wieder Alban Stolz das Wort gegeben werden, weil in den folgenden Passagen aus seiner *Erziehungskunst* symptomatisch alle Tendenzen, ideologischen Untermauerungen und das zeitgenössische Sprachfeld konzentriert enthalten sind. Er liefert zum Thema Baden diesen »klassischen« Text:

»Es scheint mir auch die Behauptung, wie sehr das Baden zur Gesundheit gehöre, ein besinnungslos hingenommenes Vorurteil zu sein. Der Mensch ist keine Ente und kann ungebadet gesund und lang leben, wie allenthalben zu sehen ist, wo kein Wasser zu finden ist, das zum Baden tief genug wäre. Desgleichen badet auch das weibliche Geschlecht geringerer Stände fast niemals, ohne deshalb früher zu sterben als Mannsleute, die viel auf das Baden halten. Daß man sich behaglich darauf befindet, ist kein Beweis der Heilsamkeit, indem eine nervöse Aufregung sehr angenehm sein kann, ohne deshalb gesund zu sein. Es ist zwar richtig, daß der Leib manches an der Haut absetzt, was leblos geworden ist und durch Baden beseitigt wird; aber Waschen tut es auch, und das Schädliche schuppt sich von selbst ab. – Anm. des Herausgebers: Vom hygienischen Standpunkt urteilt man heute weit günstiger über den Wert des Badens, wie man auch in bezug auf die moralische Seite weniger Befürchtungen hegt, als dies früher der Fall war.«[33]

Zum Thema »Pflege der Sinne« weiß Alban Stolz das Folgende beizutragen:

»Zur strengen Gewissenssache muß es ihnen [Anm.: den Kindern] aber gemacht werden, von jeder Nacktheit oder sonst unanständigen Erscheinungen sogleich die Augen abzuwenden. Es gibt wegen Armut oder Überfüllung der Wohnung Ungehörigkeiten, wonach Kinder in Kammern schlafen, wo auch Erwachsene ihre Schlafstätte haben und aus sittlicher Roheit die Anwesenheit der Kinder wenig berücksichtigen. Hier ist namentlich notwendig, daß die Kinder in Bewachung der Augen sehr gewissenhaft gemacht werden. Insbesondere sind auch Kinder, die zum Viehhüten verwendet werden, zu warnen, daß sie den Blick abwenden von ungeziemlichen Dingen. Auch dem Tanz zusehen kann den Kindern gefährliche Vorstellungen zuführen, in der Stadt wegen der üblichen Schamlosigkeit in der Kleidung, auf dem Land wegen des ungezogenen, frechen Gebarens des angetrunkenen ledigen Volkes beiderlei Geschlechtes. Die biblische Geschichte gibt durch die Erzählung von Cham und dessen Brüdern Anlaß, die Zucht der Augen einzuprägen.«[34]

In diesem mißtönigen pädagogischen Konzert spielt auch die Religion ihren Part, den Fr. W. Foerster so beschreibt:

»Während nämlich Ethik und Philosophie höchstens verbieten und abraten können, vermag die Religion abzulenken und abzuleiten – und das ist, wie gar nicht genug hervorgehoben werden kann, die allerwichtigste pädagogische Leistung auf diesem Gebiet . . . Solche Ablenkung und Befreiung aber kann die bloße Moral nie geben: Nur die himmlische Liebe ist der irdischen Liebe gewachsen; nicht die bloße Entsagung, sondern nur die vollkommenere Erfüllung kann die Versprechungen der Sinnenwelt überwinden und über ihre Enttäuschungen hinweggeben.«[35]

Daß zu einer gewiß als Sublimierung gedachten, sich aber als Verdrängung auswirkenden Sexualpädagogik auch eine wohl überstrapazierte Marienverehrung[36] herhalten mußte, ebenso der Empfang der Eucharistie[37] wie die öftere Beichte[38], sei nur am Rande vermerkt.

Eine glänzende Zusammenfassung dieser Motivationsbündel, aller Zielvorstellungen und einen symptomatischen Aufweis des Sprachfeldes bietet das Schlußwort bei H. Schilgen (der für damalige Zeiten gewiß fortschrittlich war und viele positive Seiten der Geschlechtlichkeit hervorhob). H. Schilgen beschließt seine beiden Bücher mit den Sätzen:

»Das sind die Waffen, mit denen du siegen kannst: der Helm des Glaubens, der Panzer der Vorsicht, der Schild der Selbstzucht, das Schwert des Gebetes. Nur dann, wenn du sie ergreifst, wirst du siegen, zumal wenn du kämpfest unter dem Lilienbanner der Himmelskönigin.«[39]

Verständlicherweise richtet sich als Reaktion gegen diese Tabuierung, Prüderie und Abwertung der Sexualität heute die bekannte Enttabuierung und teilweise Überbewertung der Sexualität. Man darf diesen Aktionen nicht von vornherein und in jedem Fall Bosheit unterstellen (obgleich es diese sicher auch gibt). Frustrationen erzeugen Aggressionen, und je mehr die Menschen von heute begreifen, daß ihnen berechtigtes Glück vorenthalten, gültige Schönheit verborgen, menschenwürdige Erfahrungen vergällt wurden, um so mehr werden sie darangehen, einen Nachholbedarf abzusättigen und eine Protesthaltung jenen Autoritäten gegenüber einzunehmen, die ihnen unbegründete Verzichte auferlegten.

Die heutige Enttabuierung und »Sexualisierung« wird aber durch die Herkunft aus der Attitüde des Anti allein nicht erklärt. In ihnen vereinigen sich mancherlei Strömungen: die Methoden der heutigen Werbung, die durch Sex zum Verkauf lockt und dabei an unterschwellige Bedürfnisse appelliert; die allgemeine Ablehnung von Autorität und Institution, in der jeder in einem individualistischen Subjektivismus sein Leben frei und ungebunden führen will; die weitverbreitete Konsumgesinnung, in der letztlich Glück vor Würde rangiert und jede Beeinträchtigung einer Bedürfnisbefriedigung schon als Repression verdächtigt und als unmenschlich abgetan wird, gerade dort, wo »das Glück des Augenblicks« (H. Kentler)[40] einer geplanten, entworfenen und geschichtlich verantwortbaren Zukunft vorgezogen wird; die durchgängige Säkularisierung, in der eine aufgeklärte Öffentlichkeit sich aus religiöser und moralischer Bindung emanzipiert; endlich der allenthalben anzutreffende Nonkonformismus, in dem Stars um ihr Prestige, neurotische Minderheiten um ihre Geltung, Mini-Marxisten um ihre Gefolgschaft, die Vertreter einer »besseren« Zukunft um ihr Image und Industrien um ihre Absatzmärkte kämpfen[41]. In allen diesen Reaktionen versucht der Mensch einer bedrückenden Vergangenheit wegen an der Gegenwart sich schadlos zu halten, indem er die Vergangenheit ob ihres Erbes beschimpft. Man will frei, geschichtslos in die ideologisch verplante oder von Angst verdüsterte und dennoch als beglückend erhoffte Zukunft gehen. Und es ist nicht ausgeschlossen, daß die Emanzipation von der Geschichte und ihrer Last nichts anderes als neues Verhängnis hervorbringt.

III. Sexualerziehung und Weltanschauung

Bei der »Revision der Sexualpädagogik«[1] ist es bereits ein beliebtes Gesellschaftsspiel, sich über die bisherigen, zumeist christlichen Publikationen zur Sexualerziehung – ohne Rücksichtnahme auf deren Erscheinungstermin – lustig zu machen, indem man das Ungenügen der nichtreflektierten Methoden und vor allem das ideologische Apriori in das Licht aufgeklärter Rationalität hebt. Zugleich nehmen jene, die über diese sogenannte »antisexuelle Propaganda«[2] urteilen, einen von ihnen für wertfrei gehaltenen Standpunkt ein, ohne zu erkennen, daß sie nicht weniger als die belächelten Christen ihre Vorurteile haben.
Ist es für Christen eine Anthropologie, die weithin durch das Menschenbild der christlichen Offenbarung und eine zeitgenössische, personalistische Philosophie bestimmt wird, so ist es für jene, weithin linksorientierten, Schriftsteller entweder die Anthropologie von H. Marcuse und W. Reich, die wiederum von K. Marx und S. Freud herkommt, oder das Menschenbild des homo statisticus, dessen Verhalten zugleich die Norm setzt[3], oder ein Menschenbild im Schatten eines Biologismus, der den Menschen ausschließlich vom Leiblichen her als hochentwickeltes Säugetier sieht[4]. Inwieweit bei letzterem auch die moderne, phi-

losophisch teilweise ungeklärte Verhaltensforschung auf eine falsche Fährte gelockt hat, erhebt sich als nicht unwichtige Frage.

Man muß demnach sagen: Ideologische oder weltanschauliche Voraussetzungen sind »normal« und finden sich in jeder Erziehung, also auch in der Sexualerziehung. »Erziehung ist immer eine Einwirkung in Richtung auf ein Ziel hin. Die phänomenologische Analyse jeder erzieherischen Handlung zeigt diese Struktur«, sagt Heinrich Roth[5]. Es ist unmöglich, einen Menschen rein aufgrund einer Fülle von Ergebnissen der an sich wertfreien Jugendpsychologie und Jugendsoziologie zu erziehen; denn diese Daten werden erst relevant, gewinnen erst eine pädagogische Bedeutung, wenn sie in ein Verständnis vom Menschen, d. h. in eine philosophische oder theologische Anthropologie eingeordnet werden. Fragwürdig wird diese Tatsache nur dann, wenn einer diese absolute Notwendigkeit übersieht oder wenn er von seinem begrenzten Standpunkt aus einen Anspruch auf absolute, universelle Normen erhebt.

Diese Aporie: wertfreie Aussageintention und notwendiges anthropologisches Apriori enthielt exemplarisch ein Aufsatz von P. Lüth »Eros unter dem Seziermesser« mit dem Untertitel: »Noch immer krankt die Sexualwissenschaft an einer Überfrachtung von Ideologie und Philosophie«[6]. Einerseits machte sich P. Lüth darüber lustig, daß Kritiker dem amerikanischen Sexforscher A. C. Kinsey ein falsches Menschenbild attestierten, »wobei niemand zu merken schien, daß schon der schillernde Terminus des ›Menschenbildes‹ den Mangel kritischer Reflexion signalisierte«. Anderseits kommt P. Lüth nach einem Pladoyer für Sachlichkeit und Nüchternheit und nach erfahrener Ausweglosigkeit – zwischen Soziologie, Psychologie und Medizin hin- und hergeschoben – am Ende zur Aussage: »Schon der Auftrag an die Schule impliziert die Auseinandersetzung mit dem Ganzen und schreibt darüber hinaus vor, in dieser pädagogischen Arbeit ein Engagement zu intendieren, das wir wohl als Reife bezeichnen müssen.« Was ist das Ganze? Was ist Reife? Unversehens sind dem Autor – »mangels

kritischer Reflexion?« – zwei sehr wertbestimmte Begriffe »unterlaufen«, die keineswegs in seine Konzeption passen. Ist das »Ganze« die Summe aller Teile (d. h. aller soziologischen, psychologischen, medizinischen Teilergebnisse), also eine Quantität, oder ist das »Ganze« mehr als die Summe aller Teile, demnach eine »Qualität«? Woher beziehe ich dann aber dieses zu Recht geforderte Ganze, das im Hinblick auf »Reife« gesehen werden soll? Eine ontologische Aussage wird im Blick auf eine pädagogische Zielvorstellung gefordert. Genau dieses »Ganze« aber beinhaltet bereits eine Anthropologie. Gewiß, es mag Blickverengungen geben, die das »Ganze« nicht erfassen können; es mag Blindheit auf einem Auge geben (Blindheit auf dem »linken« oder »rechten« Auge), die partout keine Perspektive wahrnimmt und deshalb behauptet, es gebe keine Perspektive – mit Ordnung und Fluchtpunkt, da sei nur Oberfläche. Das schließt aber nicht aus, daß das Ganze dennoch erst bei einer weltanschaulichen Betrachtung im Sinne eines Menschenbildes sich finden läßt. Kurz: Ganz ist der Mensch erst in seinen transzendentalen Bezügen. Vernachlässige ich diese, dann urteile ich immer noch über »Teile« und entziehe mir selbst Fähigkeit und Recht, über so etwas wie »Reife« als pädagogische Zielvorstellung zu befinden, solange man eben »das Ganze« und »Reife« und »Humanum« als identische Begriffe sehen will.
In dem Problemkreis der Anthropologie und der in ihr gründenden Normen hat sich heute allerdings die Lage beträchtlich gewandelt. Früher war die Kirche der Überzeugung, sie verkündige in ihren sittlichen Ansprüchen an die Menschen solche Normen, die aufgrund ihrer Begründbarkeit im Naturrecht für alle gelten, so daß die Norm auf jeden Fall von jedem, wenn auch nicht die Motivation dieser Norm von jedem anzunehmen sei[7]. Dieser Anspruch wird heute aufgrund der Krise des Naturrechtsdenkens bestritten, da man bei der Rückführung dieser Theorie auf ihre soziale Bedingtheit, gerade innerhalb einer dynamischen Gesellschaft, nichts »Bleibendes«, d. h. also »Natur« zu entdecken glaubt. H. Kentler äußert zum Beispiel: »Der

Mensch ist so sehr ein Kulturwesen, daß es unsinnig ist, von einer ›Natur‹ des Menschen zu reden, da diese sich unter verschiedenen gesellschaftlichen Bedingungen ändert«[8]. Aufgrund einer antimetaphysischen Einstellung vieler Wissenschaftler und wegen der mangelnden Unterscheidung zwischen Natur im philosophischen Sinn und dem »Natürlichen« im volkstümlichen Sprachgebrauch redet die Kirche heute nur noch leise von ihrem alten, im Naturrecht gründenden Anspruch – nicht deshalb, weil sie im Inhaltlichen ihres Anspruchs gänzlich unsicher geworden wäre, sondern weil sie auch in der Frage der Erkennbarkeit des Naturrechts gerade durch die Kulturanthropologie erhebliche Einsichten dazugewonnen hat.

Im Gegensatz dazu verteilt eine moderne »prosexuelle« Propaganda, in der Sicherheit eines Großinquisitors, Qualifikationen und Verdikte nach allen Seiten, vor allem natürlich nach der christlichen Seite hin, die nur in einem, allerdings unbewiesenen, universellen Anspruch eines Menschenbildes beruhen, das von »Triebstruktur und Gesellschaft«[9] bzw. einer »Orgonologie«[10] bestimmt wird. Wie es oft geschieht, übernimmt jeder, der gegen das intolerante Verhalten anderer zu Felde zieht, auf die Dauer unbesehen die Intoleranz des Angegriffenen. So kann es sich ergeben, daß moderne Sexologen und Sexualpädagogen wie A. Comfort, Kr. Ahlmark-Michanek, H. Giese, G. Schmidt, H. Kentler und, last not least, H. Schwenger heute päpstlicher sind als der Papst – und vor allem unfehlbarer.

Durch diese kritischen Äußerungen soll der bestehende Pluralismus der Anthropologien weder in seiner Faktizität bestritten noch in seiner Fruchtbarkeit in Frage gestellt werden. Er wird sich vielmehr zusehends auch in einen Pluralismus der Normen und des sittlichen Verhaltens umsetzen, wenn nicht vielmehr zutrifft, daß dieser schon längst vorhandene Pluralismus der Normen durch die Enttabuierung der sexuellen Sphäre und durch Meinungsforschung wie Publizistik an den Tag gelangt und das Bewußtsein einer größeren Öffentlichkeit prägt. Es werden sich dann einige Probleme ergeben:

Inwieweit können bei diesem Pluralismus – mit teilweise doch sehr extremen Ansichten – noch vom Grundgesetz geschützte Positionen, etwa die Ehe und die Familie, gehalten werden? Art. 6 Abs. 1 GG lautet: »Ehe und Familie stehen unter dem besonderen Schutz der staatlichen Ordnung.«[11] Im Kommentar zu diesem Artikel des Grundgesetzes schreibt A. Hamann:

> »Die in Art. 6 Abs. 1 ausgesprochene institutionelle Garantie der Ehe und Familie kann richtig nur dann verstanden werden, wenn man davon ausgeht, daß ihr Objekt (Ehe und Familie) soziologische Tatbestände sind, die nicht vom Staate geschaffen wurden ... ›Ehe‹ im Sinne des Art. 6 Abs. 1 ist als Einehe zu verstehen; das Verbot der Doppelehe (§ 171 StGB) findet seine verfassungsrechtliche Grundlage in Art. 2 Abs. 1 (Sittengesetz).«[12]

Dürfen diese Institutionen auch weiterhin als Zielvorgabe einer Sexualerziehung gelten, oder muß man, von Gruppensex, Großfamilie, Probeehe, Ehe auf Zeit begeistert, hier neuen, anderen Vorstellungen Tür und Tor öffnen? Ein Problem, mit dem sich Staatsrechtler und Politiker wohl in Zukunft werden befassen müssen.
Eine andere Frage lautet: Läßt sich eine Übereinstimmung in grundlegenden Fragen der Methode und der Normen innerhalb der Sexualerziehung erzielen, so daß trotz divergierender letzter Aussagen und Begründungen ein gemeinsames Erziehungsprogramm möglich ist? H. Scarbath sagt dazu:

> »Andererseits erscheint ein gemeinsamer Grundbestand sexualethischer Normen auch in einer pluralistischen Gesellschaft dringend erwünscht, wenn Gesetzgebung und Rechtsprechung, geselliges Leben und nicht zuletzt Erziehung möglich sein sollen. Eine solche Gemeinsamkeit ist freilich nicht schon vorgegeben, sondern erst im redlichen Gespräch aller weltanschaulichen Gruppen zu erringen.«[13]

Gibt es so etwas wie eine »einfache Sittlichkeit« (O. F. Bollnow)? Gibt es »Minima der geschlechtlichen Gesittung«, die für alle – zumal in der Sexualerziehung der Schule Tätigen – verpflichtend und bedeutsam wären? Christliche Normen als christliche – also reduplikativ genommen – werden in unserer pluralistischen Gesellschaft und in unserem liberalen Schulwesen nicht für alle gültig sein können. Etwas anderes ist es, ob man das Humanum im Christlichen für die Begründbarkeit der gemeinsamen Normen heranziehen könnte. H. Scarbath sieht – ähnlich wie H. Kentler und G. Schmidt[14] – in den beiden Geboten einer »menschenfreundlichen Sexualmoral« von A. Comfort ein hinreichendes, gemeinsames Programm. Die beiden Gebote, die A. Comfort in seinem Buch *Der aufgeklärte Eros* vorträgt, lauten:

> »Du sollst die Gefühle eines Menschen nicht rücksichtslos ausbeuten und ihn [nicht] mutwillig enttäuschenden Erfahrungen aussetzen. Du sollst unter keinen Umständen fahrlässig die Zeugung eines unerwünschten Kindes riskieren.«[15]

H. Scarbath merkt dazu an, daß diese Forderungen ein auf der »goldenen Regel« basierendes Minimum geschlechtlicher Gesittung bezeichneten. »Es erscheint bemerkenswert, daß die sich aus Comforts Sätzen ergebenden sexualethischen Konsequenzen relativ weit reichen. Zwar bejaht Comfort ausdrücklich die Möglichkeit eines vorehelichen Geschlechtsverkehrs; er fordert aber einen personalen Bezug, in dem jede Ausbeutung des Partners ausgeschlossen ist.«[16]

Man kann der Meinung sein, daß diese beiden Grundsätze einer Sexualerziehung dienen können, gerade zur Überwindung einer diffusen Normenpluralität. Es muß aber gleich hinzugefügt werden, daß alles von der Interpretation dieser Sätze abhängt. Man kann sie nämlich als zweckrationale Einebnung des Sittlichen verstehen; man kann sie aber auch als eine moderne, zurückhaltende Formulierung der »Nächstenliebe« im Bereich geschlechtlicher Gesittung begreifen.

In diesem Zusammenhang wäre hier der rechte Ort, etwas zum *Sexualkundeatlas* zu sagen, der im Auftrag des Gesundheitsministeriums der BRD herausgegeben wurde. Interessant ist vorab die Feststellung, daß von links bis rechts dieser Atlas auf Ablehnung stieß, wenn auch aus unterschiedlichen Gründen[17], und daß er fast nur das Lob derer fand, die ihn verfaßt hatten. Es zeigt sich in diesem Atlas deutlich, daß man dort dennoch einen wertbestimmten Standpunkt einnimmt, wo man der Meinung ist, man könne einen »Sexualkundeatlas« »fern von jeder Vorwertung« (Frau Käthe Strobel im Vorwort) herausgeben[18]. Vermutlich ist es möglich, nach derartigen Prinzipien eine Autofibel zu verfassen. Für einen Sexualkundeatlas, in dem immerhin über den Menschen gesprochen werden soll, ist dieser Ausgangspunkt gänzlich unzureichend, versucht er doch ein Wissen zu vermitteln, das losgelöst ist aus seinen übergreifenden Zusammenhängen, wie sie Philosophie oder Ethik bieten[19].

Gerade die Überlegungen über die Verbindlichkeit des Grundgesetzes, über die Minima moralia einer geschlechtlichen Gesittung und über den *Sexualkundeatlas* demonstrieren mehr als wünschenswert den Zusammenhang zwischen Sexualerziehung und Weltanschauung; sie verbieten keineswegs einen »Pragmatismus«, der sich entsprechend der Kategorie der Sachlichkeit am Objekt (und am ordo rationis) orientiert; sie verhindern aber einen Pragmatismus, der ein ethisches Vakuum herstellt und deshalb bald von einer beliebigen Ideologie ausgefüllt wird.

IV. Ziel einer christlichen Sexualerziehung: Partnerschaftliche Liebesfähigkeit

Will man eine christliche Zielvorstellung für die Sexualerziehung gewinnen, muß man bei der Begründung der christlichen Existenz als Ganzes ansetzen; denn Glaube und Leben fallen nicht auseinander.

Der Anspruch, den jeder Mensch als Sollensanspruch an

sein Gewissen erfährt, wird im Leben des Christen überhöht durch die Interpretation der christlichen Existenz als einer Existenz in Christus und im Geiste. H. Schlier führt aus:

> »Christliche Existenz ist somit die Existenz des Menschen, der den verborgenen, aber realen Umkreis seines Lebens und die verborgene reale Bestimmung seines Lebens durch Gottes Handeln in Christus hat.«[1]

Es kann für die Lebensführung eines Christen nicht gleichgültig sein, daß er als letzten, umfassenden Maßstab seines Handelns das Gesetz Christi, exemplarisch vollzogen im Leben und in der erlösenden Liebestat Christi selbst, mitbekommen hat, einen Maßstab, der kurzgefaßt lautet: Du sollst lieben! – nicht in purer Ichbezogenheit, nicht in der Kargheit berechnender Gegenseitigkeit, nicht unter Ausschluß des Unsympathischen und des Feindes. Dieses Gebot beinhaltet die Berufung, Gott in dieser Welt im Bruder zu begegnen.

Diese »normative Summe der Schrift« (F. Böckle)[2] ist in einem doppelten Sinn von der Gottesliebe unablösbar. Nächstenliebe wird erst möglich als Nachvollzug der Liebe Gottes, die uns in Christus geschenkt wurde, und Nächstenliebe stellt die Liebe zu Gott unter Beweis, wenn wir die Gerichtsrede Jesu bei Mt 25, 40 ernst nehmen[3]. In diesem Text wird vom richtenden Gott »nur« nach unserem zwischenmenschlichen Verhalten gefragt, was nicht bedeutet, daß sich in dieser horizontal begegnenden Liebe ein Gottesverhältnis erschöpfen darf. Das formale Gebot dieser maßlosen Liebe, Beweis und Unterpfand der Gottesliebe, entfaltet sich dann im Neuen Testament in verschiedenen Imperativen: im Imperativ der Selbstlosigkeit (Mt 5, 38–48; Lk 6, 30), in der »Goldenen Regel« (Mk 7, 12; vgl. Tob 4, 16), im Hohen Lied der Liebe (1 Kor 13, 1–14, 1), in der paradoxen Weisheit, daß man sich dort gewinnt, wo man wagt, sich zu verlieren (Mt 16, 25).

Mag in diesen Forderungen dem Christen auch die Torheit der Liebe zugemutet, ein »zu hohes Lied« der Liebe vorgetragen werden, so muß man den Verdächtigungen, darin werde eine »antisexuelle Propaganda« betrieben, entgegenhalten, daß die Bibel eine sehr positive und realistische Einstellung dem Leib und der Liebe gegenüber besitzt. Wollte man etwa den Schöpfungsbericht (Gn 1–2), der einen Höhepunkt in der sittlich-religiösen Entwicklung des Volkes Israel wiedergibt, zusammenfassen, müßte man mit F. Böckle sagen:

a: »Die geschlechtliche Ausstattung und Differenzierung ist das Werk des Schöpfergottes selbst; er selbst erscheint in Gn 1, 27 als deren Urheber.« Sie ist deshalb gut. Damit ist aber eine dualistische und spiritualistische Interpretation von vornherein ausgeschlossen.

b: »Der Sinn der geschlechtlichen Differenzierung liegt nach der Meinung der biblischen Erzähler in der gegenseitigen Ergänzung zum vollen Menschsein«, also in der Partnerschaft. Gerade das Wort von der »Gehilfin ihm ähnlich« bringt die Gegenseitigkeit der Partnerschaft zum Ausdruck. Das Bild, daß die Frau aus der Seite des Mannes genommen sei, will nur die eheliche Gemeinschaft und das Aufeinanderzustreben erklären; es enthält nichts Abwertendes. Endlich aber will das Wort vom »Ein-Fleisch-Sein« die Totalität dieser Gemeinschaft umschreiben und jedem naturalistischen Verständnis der Ehe einen Riegel vorschieben.

c: »Die Zeugungsfähigkeit und der Zeugungsauftrag des Menschen« werden »sorgfältig von der Aussage über die Gottebenbildlichkeit abgehoben und in ein besonderes Segenswort verlegt«[4]. Wie wichtig diese Aussage ist, erhellt erst in der Konfrontation mit polytheistischen Fruchtbarkeitsmythen. Eine Vergöttlichung der Sexualität wird in Zukunft unmöglich sein.

Die Lebensordnung des Alten Testamentes, wie sie uns im Dekalog und in einzelnen Anordnungen der alttestamentlichen Bücher aufbewahrt ist, zeugt von einem allmählichen Hinfinden zur Monogamie, von einer stetigen Aufwertung der Frau (bis zur vollen partnerschaftlichen Beziehung), von einer fortschreitenden Verdammung jeder Doppelmoral. Daß das »Hohelied der Liebe«, das zu den zärtlichsten Liebesliedern der Welt zählt, in den Kanon der heiligen

Bücher aufgenommen wurde, bringt erneut die positive Einstellung zu Sexualität und Liebe zum Ausdruck[5].

Wenn in der Kirchengeschichte leib- oder geschlechts- oder ehefeindliche Tendenzen auftraten, so beruhten diese auf zeitbedingten philosophischen Einflüssen (etwa der Stoa, der Gnosis, des Manichäismus) oder auf biologischen Kenntnissen bzw. Unkenntnissen (etwa im Einfluß des Aristoteles auf Thomas von Aquin) oder auf den Rechtslehren einer Zeit (etwa Ulpians Einfluß auf die Frühscholastik und auf das Naturrechtsdenken) oder auf einseitigen Akzentuierungen eines Kirchenvaters (etwa Augustins Verhältnis zur Lust überhaupt)[6]. Es handelt sich also nie um eine definierte Lehre der Kirche, höchstens um eine kryptogame Häresie.

Daß grundsätzlich ein positives Verhältnis zu Leib, Liebe und Geschlecht vorhanden war, beweist – neben der Glaubenswahrheit der Menschwerdung wie der Auferstehung von den Toten – nicht zuletzt das Sakrament der Ehe, das die sexuelle Partnerschaft zum Realsymbol der Erlösung, d. h. des Bundes Gottes mit den Menschen erhebt (Eph 5, 23–32). Wenn durch die eschatologische Einstellung des Christen auch seine Liebe aufgrund des »als ob« (1 Kor 7, 29–32) relativiert wird, so gilt dieser eschatologische Vorbehalt nicht speziell für Leib und Liebe, sondern formt die Existenz des Christen als Ganze.

Befragt man das Neue Testament nach seinen Aussagen über die Sexualität, so findet man keine detaillierte Lehre, und selbst die einzelnen Aussagen Jesu – etwa über Ehe und Jungfräulichkeit (Mt 19, 4–11; Mt 5, 31–33; Lk 16, 18) – oder der Niederschlag der apostolischen Verkündigung in Unzuchtsklauseln oder Lasterkatalogen (1 Kor 6, 9–10; Gal 5, 19–21; Eph 5, 3–5) sind auf dem Hintergrund ihrer Zeit und Kultur und Gesellschaft zu verstehen. Wird auch in diesen Texten ein hohes Leib- und Geschlechtsethos entfaltet (1 Kor 6, 18–20), so müssen dennoch modelltypische Kriterien, die vom christlichen Glaubensbewußtsein her unabdingbar gefordert scheinen, erst aus diesen Beispielen herausgelöst werden. F. Böckle nennt als solche: das partnerschaftliche Verhältnis von Mann und Frau, das ganzheitliche Verständnis der sexuellen Hingabe, die Bewahrung der christlichen Existenz vor dem Verfall an widergöttliche Mächte[7].

Somit verweist uns die formale Norm des Liebesgebotes – material bereits gefüllt durch die eben genannten, unaufgebbaren Kriterien aus dem Neuen Testament – von selbst an die Geschichte, d. h. weist uns auf das Verständnis des Menschen in seiner Zeit, um von daher den Inhalt einer materialen Ethik zu gewinnen. Das formale Gebot der Liebe sucht die vermittelnde Instanz von Normen und den Verstehenshorizont einer zeitgenössischen Anthropologie, um dadurch dem Mißverständnis, Liebe sei Beliebigkeit, zu wehren, einem für die Liebe selbst wohl tödlichen Mißverständnis.

Unter den Anthropologien unserer Zeit (marxistische, humanistische, freudianische, marcusesche) wird die neutestamentliche Norm der Liebe als Scheidewasser wirken, so daß jene Anthropologien, die den Menschen allein auf seinen Egoismus der Macht oder des Genußstrebens hin interpretieren, nicht in Frage kommen. Das Christentum gibt von seinem Selbstverständnis her personalistischen Anthropologien einen gewissen Vorzug.

Die moderne Anthropologie versteht den Menschen als personales, zur Selbstverwirklichung aufgerufenes, in sozialen Bezügen und in einer irreversiblen Geschichte sich auszeugendes Wesen. Wo in einem Menschenbild Personalität, Soziabilität, Geschichtlichkeit oder Selbstverwirklichung insgesamt übersehen werden oder eine der Bestimmungen auf Kosten einer anderen absolut gesetzt wird, ist bereits die Ganzheit des Menschen aus dem Blick geraten, die eine strukturierte Ganzheit ist. Das Kriterium dieser Struktur wird sich aus Aprioris ergeben, die – etwa bei Max Scheler, Martin Heidegger, Karl Jaspers, Helmut Plessner, Arnold Gehlen, August Vetter – hier nicht weiter betrachtet werden sollen.

Kein Mensch verwirklicht sich in sich und aus sich selbst. Er wird und wird wach am Gegenüber. Er sagt »Du«, bevor er »Ich« gesagt hat. Dieses Faktum der Kinderpsychologie gilt für das ganze Leben des Menschen. Am andern erst findet er zu sich selbst, d. h. er ist ein Wesen, das sich notwendig immer wieder selbst überschreitet. Ein Akt des Selbstüberschritts heißt Liebe. Wo der Mensch bei sich bleiben will, verkümmert er; wo er in Macht und Lust nur sich selbst sucht, wird er immer wieder sich in all seinen Unzulänglichkeiten finden.

Wo bereits die personale Reifung des Menschen nur in Partnerschaftlichkeit gelingt, bleibt bei einer wahren Kommunikation nicht aus, daß im geschlechtlichen Verhalten dieser andere, dieses Du sich selbst in das Gesetz der Begegnung mit einbringt. Der andere will als Person, nicht als Sache, als Mensch, nicht als Körper, als Wesen mit einer Geschichte, nicht als Objekt einer flüchtigen Lustbefriedigung gesehen und behandelt werden. Damit fordert der Liebesanspruch an den anderen den Liebenden auf, sich ganz und ungeteilt zu engagieren, so er redlich liebt. Liebe verlangt personale Bindung. »Der Preis deiner Liebe bist du selbst«, sagt Augustinus. Liebe und Bindung sind Synonyme, weil sich Liebende auf etwas einlassen, was sie gemeinsam überschreitet. »In wirklich personaler Liebe ist immer ein Unbedingtes mitgesetzt, das über die Zufälligkeit der Liebenden selbst hinausweist; sie wachsen immer, wenn sie wahrhaft lieben, über sich hinaus, sie geraten in eine Bewegung, die keinen Zielpunkt im angebbaren Endlichen mehr hat«, schrieb einmal K. Rahner[8].

Aufgrund einer solchen personalistischen Anthropologie, die dem Partner gerecht zu werden versucht und ebenso die Gleichberechtigung der Partner durchhält, ist die Monogamie eine Selbstverständlichkeit. Der Akt ehelicher Begegnung verwirklicht eine unaufgebbare Einheit, wird zum Symbol der Liebe und schenkt – biblisch gesprochen – ein »Erkennen«, das solchen Intimcharakter besitzt, daß es nicht zurückgenommen werden kann. Die intime Begegnung bindet[9].

Hält man dem entgegen, daß es auch andere Formen des partnerschaftlichen Zusammenlebens als die Ehe gebe, die ein beachtliches menschliches Niveau besäßen, so muß man darauf erwidern, daß dann die soziale Seite der Liebe übersehen wird, die in unserem Kulturkreis heute und in dieser Zeit nach Christus nur in der Ehe gültig verwirklicht wird. Alle Versuche, die Gruppenehe, die Ehe auf Zeit oder Probe zu etablieren, vernachlässigen nicht nur bestimmte Einzelzüge der eben skizzierten Anthropologie, sondern lehnen im letzten den sozialen Bezug der Liebe ab. Darin wird die Liebe subjektiviert, individualisiert. Man setzt die personale Liebe gegen die Gemeinschaft; man übersieht, was J. Ratzinger einmal so kennzeichnete: »So wie die Sexualität nichts bloß Individuelles ist, so ist Eros nichts bloß Personales; Eros und Sexus sind das Alleröffentlichste und das Allerintimste zugleich.«[10]. Er meint, des Menschen Natur sei es, nicht bloße Natur zu sein, sondern auch eine Geschichte und Recht zu haben, um »natürlich« zu sein. Das aber verweise die Sexualität in die Ordnung der Gesellschaft und das bedinge, daß sie nur als instituierte sittlich und menschlich sei. Damit aber ist eindeutig das gefordert, was Institution und Norm als Verhaltensvorgabe anbieten, damit die eheliche Gemeinschaft in Partnerschaftlichkeit gelinge.

Aus dieser kurzen Skizze eines Menschenbildes, wie es uns die christliche Offenbarung und die zeitgenössische personalistische Anthropologie bieten, ergibt sich deutlich als Ziel der Sexualerziehung: Partnerschaftlichkeit oder – um es in psychologischen Kategorien zu sagen – partnerschaftliche Liebesfähigkeit.

Es trifft sich mit dieser Bestimmung, was K. Rahner im Grundentwurf einer theologischen Anthropologie über den Menschen ausführt: »Der Mensch ist der von Gott aufgerufene weltlich- leibhaftige Partner Gottes.«[11] Partnerschaft ist also eine Grundbestimmung des Menschen schlechthin und sagt Entscheidendes über sein Verhältnis zu Gott und deshalb zum Nächsten und zum Geliebten aus. Die Einheit einer christlichen Lebensform wird in dieser Aussage greifbar, da Sexualerziehung keiner besonderen Zielvorgabe bedarf.

Aus diesen Gründen scheint mir diese Zielsetzung auch

besser als jene sehr individualistische, die Josef Schröteler 1929 in dem für das damalige Verständnis beachtlichen Werk *Die Geschlechtserziehung* gab, nämlich: »Ziel muß sein, den Zögling fähig und bereitzumachen zur richtigen Einordnung des Geschlechtstriebes in das Gesamtmenschentum.«[12] Diese Integration ist in unserer Definition nicht ausgeschlossen, wie vermutlich bei J. Schröteler unsere Auffassung nicht vernachlässigt wird, wenn er in dem Begriff »Gesamtmenschentum« auch die soziale Anlage des Menschen mit begreift. Aber durch diese klare Herausstellung wird die personale Integration der Sexualität als Funktion der Partnerschaftlichkeit verstanden; es wird die Gefahr des Egoismus und der Autoerotik ebenso überwunden wie die Gefahr eines allein den »Akt« betrachtenden Biologismus, der bei einer »richtigen Einordnung des Geschlechtstriebes« immer noch möglich ist. Der Mensch ist grundsätzlich offen für den anderen und muß – gerade in unserer vermeintlich begegnungsintensiven Zeit; denn in der Tiefe unserer Seele sind wir kontaktarm – zur Transzendierung seines Ichs auf das Du und Wir hin erzogen werden. Der Mensch lebt als Mensch auf die Dauer glücklich nur im Plural.

Aus dieser Partnerschaftlichkeit ergeben sich für die Sexualmoral insgesamt Konsequenzen, die das Zweite Vatikanische Konzil in der Pastoralkonstitution über »die Kirche in der Welt von heute« bereits gezogen hat, indem es – zum erstenmal in einem päpstlichen Dokument – einmal so deutlich von menschlich-ehelicher Liebe spricht und zum anderen die Ehe nicht mehr ausschließlich als eine Institution zur Zeugung und Erziehung von Kindern, sondern auch und vor allem als Gattengemeinschaft begreift. Die entscheidenden Texte lauten:

> »Auch viele Menschen unserer Zeit schätzen die wahre Liebe zwischen Mann und Frau hoch, wie sie sich in mannigfacher Weise nach guter Zeit- und Völkersitte ausdrückt. Jede aber ganz menschliche Liebe richtet sich mit Wille und Gemüt von Person auf Person, umgreift das Wohl der ganzen Person, vermag so den Ausdrucks-

möglichkeiten des Körpers und des Geistes eine eigene Würde zu verleihen und sie als Zeichen der ehelichen Liebe zu adeln... Diese Liebe wird durch den eigentlichen ehelichen Vollzug in besonderer Weise ausgedrückt und vollendet. Diese Akte, durch die die Gatten innig und lauter untereinander geeint werden, sind sittlich gut und würdig. Sie bringen, wenn sie wahrhaft menschlich vollzogen werden, die gegenseitige Hingabe zum Ausdruck und fördern sie: Durch sie bereichern sich die Gatten frohen und dankbaren Herzens gegenseitig ... Ehe und eheliche Liebe sind ihrer Eigenart nach auf die Zeugung und Erziehung von Nachkommenschaft ausgerichtet... Die Ehe ist aber nicht nur zur Zeugung von Kindern eingesetzt, sondern die Eigenart des unauflöslichen Bundes zwischen Personen und ebenso das Wohl der Kinder fordern, daß auch die gegenseitige Liebe der Gatten in rechter Weise sich betätige, wachse und reife ...«[13]

Das seit Augustinus ungelöste Problem eines Dualismus von Gattenliebe und Geschlechtsgemeinschaft – sichtbar im Streit um den finis primarius und secundarius der Ehe – scheint hiermit endlich gelöst. Die innere Zuordnung der Ehe und des ehelichen Lebens als Ganzem auf das Kind wird herausgestellt und eine allzu penible Aktmoral überwunden, eine Aktmoral, die sicher unterschwellig eine apersonale Betrachtung von Ehe und Liebe festhält und damit einem Biologismus und Materialismus unbewußt und ungewollt in die Hände arbeitet[14]. Es ergeben sich nun bei den für Diskussionen in der Sexualerziehung zentralen Themen – Masturbation und vorehelicher Verkehr – auch neue Aspekte[15].

Der Begriff Partnerschaft findet nun bei H. Kentler eine heftige Kritik, die im letzten von einem falschen Verständnis von »Partnerschaft« herrührt. H. Kentler schreibt in *Sexualerziehung:*

»Die meisten sprechen von einem ›Aufeinanderzugeordnetsein‹ von Mann und Frau und bezeichnen dieses Verhältnis mit dem Modewort ›Partnerschaft‹. Damit ist allerdings nicht eine Partnerschaft gemeint, in der die Menschen als gleichberechtigte und gleichbefähigte Teilhaber ernst genommen werden, vielmehr dient der Begriff lediglich dazu, die tatsächliche Unterlegenheit der Frau durch Idealisierung zu verschleiern.«[16]

Damit scheint H. Kentler dem gleichen Mißverständnis zu erliegen wie W. Günther, der in »Sexualerziehung, beispielsweise« sagt: »Partnerschaft setzt zunächst Gleiche voraus.«[17] Die Redaktion der *Frankfurter Hefte* merkte dazu an – und das gilt ebenso für H. Kentler –, Partnerschaft sei nicht auf eineiige Zwillinge beschränkt, sondern setze im allgemeinen »Ungleichheit« geradezu voraus[18]. Partnerschaft fordert also nicht, daß jeder den gleichen Teil, sondern daß jeder seinen, und zwar je verschiedenen Teil beisteuert. Aus diesen sich ergänzenden Teilen wird das neue, qualitative Ganze[19]. Der vielleicht durch das juristische Verständnis eines »Geschäftspartners« sehr enggeführte Begriff des Partners muß also wieder in dem vollen und richtigen Sinn des Wortes genommen werden. Damit wird klar: H. Kentler kämpft in seiner Attacke gegen Windmühlenflügel[20].

Will man aus diesen grundsätzlichen Überlegungen einige pädagogische Konsequenzen ziehen, so wäre zu sagen: Überall, wo zur Kommunikation, zur Begegnung, zu einer differenzierten Sprache, zur Sensibilität, zur Kreativität, zur Aufmerksamkeit, zur Zärtlichkeit, zur Freude am Leib, zur Phantasie, zur Treue, zur Hingabebereitschaft intentional und funktional erzogen wird, wird das Ziel einer christlichen Sexualerziehung angestrebt. Wo aber ein junger Mensch durch Angst eingeschüchtert, durch Prüderie leibfeindlich gemacht wird, durch mangelnde Liebe liebesunfähig, durch eine fehlende Bindung unstet, unruhig und treulos, durch die emotionale Leere in einer Familie ungeborgen, durch pädagogische Tricks manipuliert wird, wird dieses Ziel in Frage gestellt.

Diese auf Partnerschaftlichkeit gerichtete Sexualerziehung versteht sich als positive und ermunternde, nicht als negative, abwehrende und ablenkende Erziehung. Sie vollzieht sich in gesamtmenschlicher Weise. In diesem lebenslangen Vorgang einer Geschlechtserziehung von Kind an könnte man als einzelne Aspekte herausheben: die Information, die phasen- und sachgerechtes Wissen vermittelt, die emotionale und ästhetische Bildung, die den entscheidenden Lebensgrund für Freude, Glück und auch Genuß formt, und die Einübung sittlich-religiösen Verhaltens, das die Begegnung vor dem Nächsten wie vor Gott im Gewissen zu verantworten lehrt. All dies geschieht sicher und zutiefst durch das Beispiel der Eltern, durch das Milieu einer Familie, durch den emotionalen Raum eines Hauses – und erst in zweiter Linie durch Wort und Weisung.

V. Konfrontation mit Ideologien

In Konfrontation mit der Zielvorstellung »Partnerschaftlichkeit« sollen nun die oft unterschwelligen Ideologien in wichtigen Publikationen zur Sexualerziehung herausgearbeitet werden.

1. Dualistische Tendenzen

Der Mensch ist immer als ein ganzer zu sehen und zu erziehen. Gerade im Zeitalter der psychosomatischen Medizin und der Tiefenpsychologie, die beide den engen und unlösbaren Zusammenhalt von Leib und Seele betonen, könnte man annehmen, es sei Grundsatz aller Pädagogen: Der Mensch ist einer, ist unteilbare Person und äußert sich als solcher in Leib, Seele, Herz, Gemüt, Sinnlichkeit, Trieb, Lust und Leidenschaft. Aber dem ist nicht so.
In *Jungfrauenglaube und Doppelmoral* von Kristina Ahlmark-Michanek[1] etwa wird deutlich, wie wenig das, was am Leibe geschieht, den Menschen als Ganzes betrifft; denn die bleibende Verantwortung für eine intime Begegnung wird bestritten. Dieses Liebesgeschehen ist wohl »ein

Augenblick konzentrierter Zärtlichkeit«[2], aber doch nicht mehr als ein »simpler Beischlaf«[3]. »Warum sollte man nur gegen den Menschen besonders liebenswürdig und zartfühlend sein, mit dem man schlafen will[4]?« Muß man deshalb die sexuellen Beziehungen abwerten, weil es auch andere, gravierendere seelische Beziehungen geben kann, die einem Verantwortung auferlegen? Die Begründung für ihre Einstellung gibt Kr. Ahlmark-Michanek in den folgenden Zeilen:

> »Meines Erachtens ist es an der Zeit, sich endlich um eine ausgewogenere, gerechtere Einstellung zum Verhältnis zwischen Leib und Seele zu bemühen, zu lernen, daß wir mehr auf die Seele achten und uns weniger um das leibliche Wohlergehen sorgen sollten, damit wir unsere Seelen nicht mehr so leichtfertig und bedenkenlos ausliefern.«[5]

Kr. Ahlmark-Michanek fragt weiter, ob denn Liebe und Zuneigung ihren innigsten und tiefsten Ausdruck gerade im Leiblichen fänden. »Ein ›Geliebter‹ ist nichts Eigentlicheres, Wesentlicheres als ein ›Mensch‹, sondern ein wenn auch sehr wichtiger Teilbegriff.«[6] Diese subtil scheinende Unterscheidung macht doch klar, daß die innige Einheit im Menschen zwischen Innen und Außen, zwischen Leib und Seele, zwischen Zeichen und Bezeichnetem zerstört wurde.

In diesem Plädoyer für eine »neue Moral«, die sich weithin in einer antimoralischen und antikirchlichen Attitüde erschöpft, findet sich die Empfehlung einer geschlechtlichen Begegnung »freundschaftshalber«, »ein Genuß der Freundschaft wegen, der zärtliches Erleben schenkt und eine menschliche Bindung verstärkt«[7]. Begründet wird diese Empfehlung in der »Rücksichtsregel«; »denn es läßt sich nicht leugnen, daß es hierbei um eine der Rücksichtsregel entsprechende zwischenmenschliche Beziehung handelt«[8]. Rücksichtsregel deshalb, weil – laut Kr. Ahlmark-Michanek – in der Devise Nimm Rücksicht auf andere! alle Regeln und Normen, die das menschliche Zusammenleben ordnen, zusammengefaßt seien. So gewinnend aufs erste die Theorie bzw. »neue Moral« eines Beischlafs aus Freundschaft sein mag, der Zusammenhang, in dem sie erscheint, macht sie verdächtig; denn diese »Liebe freundschaftshalber« steht nicht mehr in der (geschichtlich zu tragenden) Verantwortung des liebenden Menschen:

»Völlig vergessen wird die Wollust, die Tatsache, daß die Sorge im konkreten Fall nur der Zeit der Liebesvereinigung gilt, also nur einem begrenzten Zeitabschnitt, nicht aber dem Bemühen, über eine lange Zeit hinweg die Persönlichkeit des Partners zu verändern, ihn oder sie ›freier, fröhlicher und offener‹ zu machen. Diese spekulative Einstellung gleicht in ihrer Verneinung des Sinnengenusses einer Abmagerungskur.«[9] – »Solche langfristigen Investitionen im Gefühlsleben eines anderen sind im Grunde genommen ein verabscheuungswürdiger Handel mit Gefühlen; derartige Transaktionen, bei denen man Garantien für eine reiche Rückerstattung der investierten Gefühle anstrebt, haben mit echter Liebe wahrlich wenig zu tun.«[10]

Doch scheint Kr. Ahlmark-Michanek Angst vor ihrer eigenen Courage zu bekommen; denn unversehens fordert sie wieder: »Zur Sympathie des Fleisches gehört der Zusammenklang der Seelen«[11] und äußert vernünftig über die Erotik: »Letzten Endes geht es auch hier darum, die – man verzeihe! – Seele des anderen zu finden.«[12] Demnach versucht sie das Motiv »Freundschaft« aufzuwerten, indem sie es in die Nähe der Liebe manövriert: »Jede Liebe, die von Dauer ist, gründet auf einem Komplex von Gefühlen, unter denen die Freundschaft eine Hauptrolle spielt.«[13]

Unterschwellig verbirgt sich in diesen Texten ein Dualismus, der sich in der Sexualerziehung nur übel auswirken kann; denn er leitet dazu an, Leib und Seele zu dissoziieren – und Sittlichkeit nur in den lustvollen Augenblick, nicht aber in die unteilbare Geschichte eines Menschen zu investieren. Während Kr. Ahlmark-Michanek ihr Augenmerk auf »Seele« fixiert (und in diesem Anliegen muß man wohl mit ihr übereinstimmen), verliert sie den Leib aus dem Auge. Ist es wirklich unmöglich, »beide«, d. h. den einen Menschen mit einem Blick zu erfassen, zu umfassen?

2. *Fragwürdige Emanzipation*

Helmut Kentler vertritt – allerdings mit wachsender Radikalisierung – eine »emanzipierende Sexualerziehung«[1], die – von ihm selbst kurz zusammengefaßt – in ihren Zielvorstellungen so aussieht:

> »Die Regulierungen des Sexualverhaltens folgen politisch-ökonomischer Notwendigkeit: Nicht sexuelle Bedürfnisbefriedigung, sondern die Verteilung der Arbeitsaufgaben und die Herrschaftsverhältnisse sollen sie sichern (Mead). Je freier die Gesellschaftsordnung ist, um so freizügiger kann das Sexualverhalten sein, denn nicht freie Entfaltung der Sexualität, sondern ihre Unterdrükkung wirkt sich asozial aus (Marcuse). Vielleicht bedarf die Sexualität überhaupt keiner äußeren Regulierung, wenn sie ihrer eigenen Ökonomie gehorchen kann (Reich), die eben darin besteht, daß nicht direkte, sondern nur umwegige, verzögerte, kunstvoll gestaltete Befriedigung Lust bereitet. Diese Emanzipation der Sexualität ist freilich erst in einer nichtrepressiven Gesellschaft möglich.«[2]

In diesem Kurztext sind alle Ideen, Thesen und Hypothesen, die H. Kentler in seinen vielen Publikationen zum Problemkreis »Sexualerziehung« vorgetragen hat, konzentriert ausgesagt. Man könnte seine Grundaussage wie folgt zusammenfassen:

> a: Die heutige Gesellschaft ist repressiv; demnach erzieht die herkömmliche Sexualerziehung einen Menschen, der sich dem derzeitigen politisch-ökonomischen System fügt und es immer wieder reproduzieren hilft.

In dieser repressiven Sexualerziehung »geht Hand in Hand mit der Oktroyierung der geschlechtsspezifischen Rolle das Training einer ›zuchtvollen‹, ›beherrschten‹, ›verzichtbereiten‹ Haltung«[3] und diese Ermunterung zum Triebverzicht macht im wesentlichen die »Repression« aus. Innerhalb dieser Sexualerziehung spielt eine entscheidende Rolle die »Zielorientierung«. Bei ihrer Kritik greift H. Kentler auf Fr. Schleiermacher zurück, der jene Vereinigung von Gegenwart und Zukunft, von gegenwärtigem Glück und zukünftiger Lebenserfüllung im Leben des Kindes für möglich und wünschenswert hält, bei der gar keine »Aufopferung«[4] stattfindet. Kentler nennt deshalb eine

> »Sexualerziehung, die lediglich sexuelle Propädeutik sein kann, weil sie als Hauptziel die Ehefähigkeit und damit die gesellschaftliche Angepaßtheit der Individuen verfolgt, ›repressive‹ Sexualerziehung. Damit soll ausgedrückt werden, daß die Erziehung die sexuellen Bedürfnisse und Interessen der Heranwachsenden nicht anerkennt, sie sogar unterdrückt.«[5]

Im Kontrast zu einer »Laissez-Faire-Sexualerziehung«, die dem Augenblick die künftigen Entwicklungsmöglichkeiten opfert und auf eine Kultivierung der Sexualität verzichtet, konzipiert H. Kentler dann seine nichtrepressive Erziehung, seine »emanzipierende Sexualerziehung«, die vor allem über bisherige Erziehungsziele: Sexualverdrängung, Ehetauglichkeit und angepaßtes Wohlverhalten[6], wie sie vor allem im katholischen und evangelischen Schrifttum zum Thema vorgelegt worden seien, hinausgeht.

b: Das Herrschaftssystem der bestehenden Gesellschaft muß abgeschafft werden; darum muß eine »nichtrepressive Sexualerziehung« eingeführt werden. Das heißt endlich: Sexualerziehung ist politische Erziehung.

H. Kentler sagt:

> »Es kommt heute darauf an, Sexualerziehung bewußt als politische Erziehung zu etablieren, auf die experimentelle Situation des Sexuallebens so einzuwirken, daß das in ihr verborgene gesellschaftliche Veränderungspotential aktiviert wird.«[7]

Da eine wenn auch nicht direkte Kausalität zwischen Sexualerziehung und Gesellschaftsform besteht, wird allmählich die bestehende Gesellschaftsordnung (mit ihrem Unrecht, ihrer Unterdrückung, ihrem Unfrieden und ihren Aggressionen) abgeschafft werden, wenn eine andere Sexualerziehung als die herkömmliche einige Zeit erfolgte. Von »Revolutionen« hält H. Kentler wenig; denn er kann »sich nicht vorstellen, daß in revolutionären Akten gleichzeitig die Lernprozesse organisiert werden können, deren man bedarf, um die Ziele einer Revolution auf die Dauer zu realisieren«[8]. Infolgedessen entscheidet er sich für »langwierige Experimente, die zur gesellschaftlichen Veränderung mit dem Ziel zunehmender Emanzipation nötig sind«[9]. Im Blick auf die konkrete Realität und im Ausblick auf die Zielvorstellungen einer gesellschaftlichen Utopie wird die Forderung wach:

> »Die Forderung nach sexueller Freizügigkeit ist der Ausdruck eines Gewissens, das Änderung der Kultur, der Normen, der Herrschaftsverhältnisse verlangt, um Unterdrückung und Leiden der Menschen zu verringern. Der an Emanzipation orientierte Erzieher fragt nach dem ›Schicksal‹ der Sexualität, nach den konkreten, ihre Situation bestimmenden gesellschaftlichen Bedingungen, und ebenso wie emanzipierende Erziehung in anderen Bereichen untersucht, wie die Menschen unter den gegebenen Gesellschaftsverhältnissen und durch Veränderung der Gesellschaftsverhältnisse menschlicher existieren könnten, so auch in der Sexualerziehung: Die Menschen sollen lernen können, ihre sexuellen Bedürfnisse freier und lustvoller, sich in ihrer Menschlichkeit genießend, zu befriedigen.«[10]

Das ergibt zugleich das Programm einer politischen Erziehung, da Sexualerziehung durch Abbau der Aggressionen einen »Beitrag zur Schaffung friedfertiger Verhältnisse unter den Menschen sein kann«. So schrieb H. Kentler noch in der VIII. seiner Thesen über eine nichtrepressive Sexualerziehung. Eine derartige Aussage schafft ein großes Vakuum, das nach ideologischer Füllung ruft – und so ist fortschreitende neomarxistische Ideologisierung seiner Grundthesen unverkennbar.

> c: In der nichtrepressiven Sexualerziehung wird die Sexualität erzogen, es wird sexuelles Verhalten eingeübt. Durch die Erfindung der Antibabypille ist dies ohne Gefahr und ohne Risiko möglich.

H. Kentler ist der Meinung: »Wer tanzen lernen will, muß die Beine, wer eine Sprache lernen will, muß den Mund bewegen. Lernen heißt üben.«[11] Auch Sexualität muß »eingeübt werden«. Diese einübende Erziehung hat eine emanzipatorische Absicht und verwirklicht sich mit einer politischen Sinnspitze. Daß eine Differenz zwischen Einübung von Essen und Einübung von Sexualität, die ja immerhin eine Du-Beziehung realisiert, besteht, wird dabei mit leichtem Sinn vernachlässigt. Nun, H. Kentler sieht in der Antibabypille »die« Chance der modernen Sexualerziehung, denn

> »in diesem Sinne ist die Erfindung der ›Antibabypille‹ eine der größten Kulturleistungen der Menschheit. Sie macht Erziehung der Sexualität überhaupt erst möglich, weil Sexualität nun ohne Begleiterscheinungen und Folgen, die pädagoisch unerwünscht sind, geübt und befriedigendes Sexualverhalten, vielleicht sogar glückliche sexuelle Beziehungen gelernt werden können.«[12]
>
> d: Die Gefahr der Antibabypille, daß die Neigung des Menschen zur Pansexualität und Promiskuität nun ungehemmt zum Ausbruch komme, wird nur durch eine nichtrepressive Gesellschaft bewältigt.

H. Kentler sieht das Problem deutlich: Es geht im Verlust der alten Normen – zumal bei diesen »medizinischen Möglichkeiten« – eine disziplinierende Funktion verloren. Freizügigkeiten können Kultur und Gesellschaft zerstören, wenn die entsprechende Regulation des Verhaltens fehlt. In diesem Dilemma springt dann die Sozialutopie ein, die Wilhelm Reich entworfen hat, mit dem zentralen Begriff des »Glücks«. Eine Gesellschaftsform wird beschrieben und erwartet, die »auch dem Grundbedürfnis des Menschen nach Lust, Genuß, Glück, Befriedigung und Erfüllung gegewährt.«[13] Dieses »Glück« ist auch heute schon der entscheidende sittliche Imperativ für den jungen Menschen – wohl in Anlehnung an Fr. Schleiermacher –, wie H. Kentler in seinen »Thesen zu einer nichtrepressiven Sexualerziehung« geschrieben hat:

> »These I: Grundlage und Richtschnur aller Sexualerziehung muß die Einsicht sein, daß das augenblickliche Glück des Heranwachsenden nicht einem künftigen aufgeopfert werden darf.«[14]

Dieser Begriff »Glück« erweist sich als zentrale Kategorie einer Sexualerziehung gerade deshalb als geeignet, weil niemand wisse, was das Glück des anderen sei, so daß der Mensch in dieser Hinsicht weder einer Norm subsumiert noch von einem anderen Menschen manipuliert werden könne. Es erhebt sich die Frage: Ist dieser Begriff nicht gerade eine »pluralistische Vokabel«, um mit Chr. Rohde-Dachser zu reden, die in der Unbestimmtheit ihres Inhalts nichtssagend ist?

> e: Weil in einer nichtrepressiven Gesellschaft die Existenz von Ehe und Familie nicht mehr gewährleistet wird und weil viele mit Ablösung dieser sexuellen Normen und Verhaltensweisen eine Zerstörung unserer Kultur und Gesellschaft befürchten, wird von den Systemhörigen die emanzipierende Sexualerziehung bekämpft.

Jene Gestrigen tun dies entweder aus einem Dogmatismus heraus, der gerade bei allen »religiös« orientierten Schriftstellern unterstellt wird (der nur eine »Verschleierung« der eigenen Angst ist), oder aus mangelndem Mut, eine »experimentelle Situation« zu wagen, oder aus einer anderen Konzeption von Glück. Nach der Auffassung von H. Kentler ist die Diskussion zwischen den Anhängern repressiver und emanzipierender Sexualerziehung schwierig, ja unmöglich aus folgendem Grund:

> »Repressive Sexualerziehung bezieht ihre Legitimation aus einem Menschenbild, in dem für Vorstellungen von einem besseren Leben kein Platz ist, weil jeder Versuch, das Normengefüge und womöglich die Normen selbst zu ändern, als ein Angriff auf die Fundamente der Kultur angesehen wird; schon immer, so glaubt man, ist die Kultur bedroht durch eine naturgewaltige Sexualität, die – von kulturellen Durchformungen ausgeschlossen, unberührt vom Geschichtsprozeß – roh und ungeordnet, ungebändigt erhalten blieb und die Gesellschaft ins Chaos stürzen muß, wenn die Normen, von denen sie notdürftig niedergehalten und eingeschränkt wird, ihre Macht verlieren.«[15]

Diese Ansichten ergeben sich schlüssig aus Voraussetzungen, die H. Kentler in drei Thesen vorlegt. Diese Thesen lauten:

»1. Gegen eine emanzipierende Sexualerziehung wird häufig eingewendet, Tabus und Normen seien nicht nur Mittel der Unterdrückung, sondern sie stellten auch einen Schutz dar, der die Menschen davor bewahrt, ihren übermächtigen Trieben zu verfallen. Dieser Einwand ist unser Anlaß, die anthropologischen Voraussetzungen der Sexualerziehung zu überprüfen.

2. Gegen eine emanzipierende Erziehung wird weiterhin vorgebracht, sie gefährde unsere Kultur, die auf Triebverzicht als der notwendigen Voraussetzung für Lern- und Leistungsfähigkeit angewiesen ist. Dieser Einwand verlangt von uns, die gesellschaftlichen Bedingungen der Sexualerziehung zu untersuchen.

3. Schließlich muß Auskunft darüber gegeben werden, was unter ›Erziehung zur Sexualität‹ in emanzipatorischer Absicht eigentlich zu verstehen ist.«[16]

Im Folgenden sollen diese Thesen und ihre Begründung dargestellt und auf ihre Stichhaltigkeit hin untersucht werden. Aus der Fragwürdigkeit der Prämissen könnte sich dann die Zielvorstellung »emanzipierende Sexualerziehung« überhaupt als fragwürdig erweisen.

Zu 1: Anthropologische Voraussetzungen: Norm und Trieb. In der kritischen Analyse der »anthropologischen Voraussetzungen« setzt H. Kentler sich vor allem mit H. Schelskys *Soziologie der Sexualität*[17] auseinander und wirft Schelsky vor, daß zwei Voraussetzungen unbefragt in die Konstruktion seiner Anthropologie eingingen:

»1. Die Sonderstellung des Menschen unter den übrigen Lebewesen wird betont, so daß die Unterschiede zwischen menschlicher und tierischer ›Natur‹ pointiert herausgearbeitet werden; damit verknüpft ist 2. die Orientierung an einem dualistischen Denkmodell, das den Unterschied des Menschen zur übrigen Natur aufnimmt und als grundlegenden Widerspruch von ›Kultur‹ und ›Natur‹ begreift.«[18]

Wenn H. Schelsky in der Sublimierung der Triebe die Voraussetzung von Kultur erkennt und die Kultur bedroht sieht, weil »Pansexualität und ungeregelte Promiskuität« sich anstelle der alten Normen setzen, hält Kentler das für einen »archaisch-mythologischen Rest«

> »in dem sonst so wissenschaftlich aufgemachten Menschenbild; denn ich wüßte nicht, auf welche Forschungsergebnisse sie sich stützen könnte: Pansexualität und ungeregelte Promiskuität gibt es nur in der Phantasie – in der Realität gibt es allenfalls Annäherung an derart rauschhafte Zustände, und sie sind dann weniger Äußerungsformen ursprünglicher, zu sich selbst befreiender Sexualität, sondern viel eher Reaktionen auf unerträglich gewordene Unterdrückung, behaftet mit den Stigmata psychosexueller Fehlentwicklung« (vgl. Bernsdorf, *Soziologie der Prostitution*).[19]

Als Anachronismus wird dann sowohl – in Anlehnung an Diderot – das »dualistisch-statische Menschenbild, das in der Norm eine quasi-gute, im Sexualbetrieb eine quasi-böse Macht sieht«[20], ebenso erklärt wie das »Naturrecht«, das von H. Kentler nur sozialpsychologisch (bar jedes philosophischen Verständnisses) erklärt wird.

Gegen H. Schelsky wird dann K. Dörner zitiert, der die Sexualität für ein »Kulturgut« erklärt, weniger aber auf die Herkunft, als auf die Zukunft dieses Kulturgutes achtet. In dieser Zukunft erblickt K. Dörner eine Gesellschaft, in der das Grundbedürfnis des Menschen nach Lust, Genuß, Glück erfüllt wird. Der Mensch, frei von unterdrückender Arbeit und Herrschaft, hat dann die Chance, die nicht unterdrückten Aspekte der Sexualität zu realisieren. Ist dies auch eine Utopie, so stellt es sich dem Erzieher doch als Aufgabe, »realisierbare Utopien mit dem konkreten Leben auf Grund historischer Erfahrung zu vermitteln.«[21]

Als Kritik an der Lösung des Problems »Norm und Trieb« erheben sich diese Gegenfragen:

Sind die klinischen Erfahrungen von K. R. Eissler bewiesen, daß Masturbation »für eine gesunde Pubertät« unerläßlich ist? Was heißt hier »gesund«[22]?

Sind die Schlüsse von Bernsdorf bewiesen, daß Pansexualismus und Promiskuität »viel eher Reaktion auf unerträglich gewordene Unterdrückung, behaftet mit den Stigmata psychosexueller Fehlentwicklung«[23], sind? Was heißt hier »psychosexuelle Fehlentwicklung«?

Stimmt die These von K. Dörner über den Zusammenhang von Norm und Gesellschaft oder kann man nicht vielmehr H. Kentler selbst gegen sie zitieren: Kentler schreibt in *Sexualerziehung* ausdrücklich:

> »Aus solchen Korrelationen darf freilich nicht auf ein direktes Kausalverhältnis geschlossen werden: Demokratische Auffassungen im politischen Bereich garantieren keineswegs, daß sich auch gegenüber der Sexualität freizügige Auffassungen durchsetzen, und umgekehrt ist es durchaus nicht sicher, daß sexuelle Freizügigkeit die autoritären Strukturen einer Gesellschaft zwangsläufig aufbricht und in Demokratisierungsprozesse verwickelt. Sexuelle Befreiung kann sehr wohl auch eine Scheindemokratisierung bedeuten, die bestehende Herrschaftsverhältnisse nur verschleiert.«[24]

Frage: Welcher Art ist dann das Verhältnis, wenn es kein »kausales« ist – und wie ist dieses Verhältnis festzustellen bzw. in die Wirklichkeit umzusetzen?

Ist endlich jene wohl von Hegel herkommende, von H. Marcuse vermittelte Utopie eines kommenden »Glücksstaates« zutreffend, oder hat nicht vielmehr E. Bloch recht, der das hier vorliegende Problem gut trifft, wenn er in *Naturrecht und menschliche Würde*[25] schreibt:

> »Die Sozialutopien gehen überwiegend auf Glück, mindestens auf die Abschaffung der Not und der Zustände, die diese erhalten oder produzieren. Die Naturrechtstheorien gehen . . . überwiegend auf Würde, auf Menschenrechte, auf juristische Garantien der menschlichen Sicherheit oder Freiheit, als Kategorien des humanen Stolzes. Demgemäß richtet sich die Sozialutopie vor allem auf Abschaffung des menschlichen Elends, das Naturrecht vor allem auf Abschaffung der menschlichen Erniedrigung. Die Sozialutopie will wegräumen, was der Eudä-

> monie aller, das Naturrecht, was der Autonomie und ihre Eunomie im Wege steht.«[26]

E. Bloch löst das präzise gesehene Problem so: Mehr als je sei es an der Zeit,

> »auch die Unterschiede in den sozialutopischen und den naturrechtlichen Intentionsfeldern funktionell endlich verbunden zu sehen und aufgehoben. Kraft der Gewißheit: es gibt keine menschliche Würde ohne Ende der Not, aber auch kein mensch-gemäßes Glück ohne Ende alter und neuer Untertänigkeit.«[27]

Wenn der Blick also nur einen Aspekt der »ganzen« Lebensform des Menschen heraushebt, kann dies an einem unterschwelligen Hedonismus liegen, aber ebenso an einem mangelnden metaphysischen Bewußtsein des Menschen, wobei nicht ausgeschlossen sein soll, daß das eine das andere bedingt.

H. Kentler hat endlich selbst gegen die Instanz der Norm von H. Schelsky nichts anderes gesetzt als andere Normen (»gesund«, »psychosexuelle Fehlentwicklung«), ohne die Implikation des Normativen wahrzunehmen, ohne seinen nur dialektisch konzipierten, aber inhaltlich nicht gefüllten »Naturbegriff« zu verifizieren. Es ist ein leichtes, die Fehlentwicklungen eines befreiten Triebes dem Normsystem anzulasten und von einem zukünftigen Glück her zu argumentieren, dessen utopische Gestalt doch tief im Schlagschatten aller bisherigen angepriesenen und mißglückten Paradiese steht (vgl. »die klassenlose Gesellschaft«).

Zu 2: Gesellschaftliche Bedingungen: Sublimation und Scham.
Die zweite These beschäftigt sich mit dem Problem: Gesellschaftliche Bedingungen: Sublimation und Scham. Ansatzpunkt bieten die folgenden Sätze:

> »und schließlich ist zu fragen, ob nicht unsere Kultur selbst auf primitive Stufen herabsinken wird, oder doch zumindest von weiterer Entwicklung ausgeschlossen bleibt, wenn Trieberfüllung so leicht und direkt möglich ist, ohne den Umweg einer ›Sublimation‹ suchen zu müssen, der schließlich auf einem unserer Kultur entspre-

chenden Niveau zwar nicht physische, wohl aber seelische und geistige Befriedigung möglich macht.«[28]
H. Kentler begegnet dem Begriff »Sublimation« – »in der repressiven Erziehung weitverbreitet«[29] – mit großer Skepsis. Die Sublimationstheorie sei von Freuds Lehren allein übernommen worden, »während insbesondere die gesamte Triebtheorie den Abwehrmechanismen der Pädagogik zum Opfer fiel«[30]. Sublimation ist »genau jenes Teilstück, das die Psychoanalyse in ihrer gesellschaftsverändernden Wirkung so entscheidend lähmte und die meisten Schüler Freuds daran hinderte, aus ihren Forschungen emanzipierend-wirkende pädagogische Konsequenzen abzuleiten.«[31]
Als Beispiel für diese Aussage führt H. Kentler dann R. Spitz, den bekannten Kinderpsychologen, an, der sich dem »Tabu« der Sublimationstheorie unterwarf und mit einer gewissen Skepsis der Sublimation begegnete. Anna Freud verfiel dem gleichen Tabu – und über sie fällt H. Kentler das gleiche Verdikt. H. Kentler kennt nur wenige Wissenschaftler, die die Gültigkeit der Sublimationstheorie bezweifeln – zu ihnen zählt A. C. Kinsey –, und es gibt angeblich keine Belege »für die behauptete Korrelation von sexueller Unterdrückung einerseits und Niveau der Persönlichkeitsentwicklung und Kulturentwicklung andererseits«[32] – weder aus der Geschichte eines einzelnen noch aus der Geschichte der Menschheit.
In Fortführung der Lehre von S. Freud hat W. Reich eine modifizierte Auffassung des Sublimationsbegriffes vorgelegt, »die dem dialektischen Zusammenhang von Gesellschaftsordnung, Realitätsprinzip und Sublimation gerecht wird und damit ideologische Verzerrungen aufhebt«[33]. W. Reich fragt, »warum denn die Onanie der Kleinkinder und der Geschlechtsverkehr der Puberilen die Errichtung von Tankstellen und die Erzeugung von Flugzeugen stören solle«[34], und meint: »Auf die paar schlechten Gedichte, die bei Askese gelegentlich entstehen, kommt es doch schließlich nicht an.«[35] Hat man so das Problem lächerlich gemacht und abgewertet, muß man natürlich gewichtigere Gründe suchen, die für die Sublimierung sprechen – und

diese »Frage ist dann nicht mehr eine der Kultur, sondern der Gesellschaftsordnung«[36]. Die Antwort gibt W. Reich, wenn er in *Dialektischer Materialismus und Psychoanalyse* schreibt:

> »Die Psychoanalyse kann zeigen, daß die ökonomische Struktur der Gesellschaft sich ›im Kopf des Menschen‹ nicht unmittelbar in Ideologien umsetzt, sondern daß das Nahrungsbedürfnis von den jeweiligen ökonomischen Verhältnissen in seinen Äußerungsformen abhängig, die Funktionen der weit plastischeren Sexualenergie abändernd beeinflußt, und daß diese gesellschaftliche Einwirkung auf die Sexualbedürfnisse durch Einschränkung ihrer Ziele immer neue Produktivkräfte in Form sublimierter Libido in den gesellschaftlichen Arbeitsprozeß überführt. Teils direkt in Form von Arbeitskraft, teils indirekt in Form von höher entwickelten Ergebnissen der Sexualsublimierung, wie etwa der Religion, der Moral im allgemeinen, der Geschlechtsmoral im besonderen, der Wissenschaft usw. ... die sublimierte Libido wird als Arbeitskraft zur Produktivkraft.«[37]

Insgesamt löst H. Kentler das Problem von Sublimation und Realitätsprinzip in Berufung auf S. Bernfeld, H. Marcuse und W. Reich, indem er schreibt:

> »Das unsere Kultur beherrschende, eine weitgehende sexuelle Unterdrückung fordernde Realitätsprinzip ist also im Hinblick auf unsere gesellschaftlichen Produktivkräfte ein Anachronismus, nur mit dem Willen zu rechtfertigen, daß die Herrschaftsverhältnisse unverändert erhalten bleiben sollen.«[38]

Als neues »Realitätsprinzip« bietet W. Reich die lapidare Devise an: »Der Kern des Lebensglückes ist das sexuelle Glück.«[39] Und was bleibt übrig von S. Freuds Sublimationstheorie? »Die ›Sublimierung‹ setzt an bei den Befriedigungsmöglichkeiten: Indem sich diese bereichern und verfeinern, werden die sexuellen Bedürfnisse anspruchsvoller. Stärkung der Ich-Funktionen, nicht Anpassung an gesellschaftlich vorgegebene Wert- und Normsysteme wäre das Kriterium für gelungene Sublimation.«[40]

Die Konsequenz aus dieser Theorie ist dann der Abbau der Scham, weil die Schamerziehung wiederum zur Reproduktion dieser Gesellschaft führt. Denn Schamerziehung, Unterdrückung der sexuellen Bedürfnisse und Sublimierung (im Freudschen Sinne) bedingen einander. Bleibt also nur eine »Erziehung ohne Scham«[41] übrig – mit dem »beglükkenden« Ergebnis:

> »Der Schamlose und darum sexuell Erfahrene weiß, daß nicht die möglichst häufige und immer leicht zu erreichende Befriedigung sexueller Bedürfnisse, sondern nur die zielgehemmte, umwegig erreichte Befriedigung Lust bereitet, und darum ist er an der Gestaltung ›sublimer‹, kultivierter Sexualbeziehungen interessiert.«[42]

Da in das Ganze der Kentlerschen Gedankenführung die Ideen von W. Reich verwoben sind, müßte sich die Kritik an Kentlers Ansichten im wesentlichen mit W. Reichs Ideen der »Sexualökonomie« auseinandersetzen. Diese Sexualökonomie (und Sexpol) ist aber in ihren psychologischen und physiologischen Hintergründen recht schwierig, zumal W. Reich, »was die Psychoanalyse anbetrifft, wissenschaftstheoretisch so naiv, wie er, was marxistische Theorie anbetrifft, orthodox leninistisch ist« (H. P. Gente).[42a]

Bleibt also nur eine doppelte, kurze Argumentation. S. Freud, dessen Schüler W. Reich war, hatte im Jahre 1932 Anlaß, über einen Aufsatz von W. Reich zu urteilen, der »die Verbindung von Marxismus und Psychoanalyse zum Thema hatte und der nach Freuds Meinung ›in dem Unsinn gipfelte, was man für Todestrieb halte, sei eine Auswirkung des kapitalistischen Systems‹. Reichs Idee war gewiß sehr verschieden von Freuds Auffassung ...« berichtet E. Jones in seiner Biographie über S. Freud[43]. Freud hatte also kein Verständnis für diese Politisierung seiner Lehre.

Will man in derselben Art wie H. Kentler argumentieren – in Berufung auf Autorität –, müßte man A. Mitscherlich zitieren, wenn er in *Die Unfähigkeit zu trauern* schreibt:

> »Demgegenüber sind die Versuche selten und unorganisiert, mit denen einzelgängerisch getrachtet wird, durch neue Selbstbegrenzungen ein neues Selbstgefühl aufzu-

bauen. In der Langeweile puren Triebverschleißes meldet sich die Erfahrung, daß Verzichten die Verfügungsgewalt über sich selbst vergrößern, mitmenschliche Beziehungen vertiefen und damit auch glücklich machen kann. Wer ›nein‹ sagen, sich einer Lust enthalten kann, bleibt vielleicht wach für eine stärkere, zum Beispiel für die Gratifikation, die ihm durch die Achtung anderer oder auch seines eigenen Gewissens zufällt. Wer sich Lust allzu leicht gönnt, wird möglicherweise für jenen Genuß unempfindlich, der freier, reifer, heiterer macht. Er gerät unter ein Pendant des moralischen Zwangs, er wird vom Suchtzwang beherrscht.«[44]

Ob Kentler dieser vermittelnden Aussage von A. Mitscherlich zustimmen wird? Oder wird auch sie verdächtigt, die bestehenden Herrschaftsformen zu stabilisieren, da von Achtung und Gewissen geredet wird?

Zu 3: Erziehung der Sexualität.

Hier stellt Kentler erst die sexuellen Verhaltensweisen der Muria dar, einer Stammesbevölkerung in Vorderindien, die ihm ein Modell zu bieten scheinen, dessen Grundzüge in unsere Gesellschaft übersetzt werden können: Erfahrungsräume der Jugendlichen, uneingeschränkte sexuelle Freizügigkeit (bis auf die zwei Gebote von A. Comfort). Doch wir sind keine Murias; denn – so räumt Kentler ein – es gibt keine Tradition repressionsfreier Räume, in denen Kinder und Jugendliche sexuelle Freizügigkeit genießen könnten, ferner ist die Sexualität durch die bestehende Gesellschaftsordnung versachlicht und neutralisiert – und formt kaum mehr die Verhaltensweisen der Menschen[45]. Deshalb fordert Kentler dann repressionsarme Räume, in denen junge Menschen ihre sexuellen Erfahrungen sammeln können. Allerdings wird diese Erziehung nicht ganz in eigener Regie geschehen können; denn die Gleichaltrigengruppe würde das deformierte Sexualleben reproduzieren, »das nicht den Individuen nützt, sondern allenfalls die Gesellschaftsordnung stabilisiert«[46]. Zur Repressionsarmut gehört dann notwendig eine kritische Theorie,

»um sich ihrer Voraussetzungen, Bedingungen und möglichen Zielsetzungen zu vergewissern. Sie kann nur dann das konkrete Leiden der Heranwachsenden unter den Zwängen einer sexuellen, Unterdrückung fordernden Gesellschaft lindern und die Ursachen dieses Leidens abschaffen, wenn sie sich durch gesellschaftskritische Analysen die notwendigen Kenntnisse erarbeitet, um zu wissen, welches Schicksal die Sexualität unter den gegenwärtigen gesellschaftlichen Bedingungen erleidet; auf der Grundlage dieses Wissens erst können die pädagogischen und politischen Strategien entwickelt werden, die die sexuelle Situation einzelner Individuen, womöglich aber auch der Gesellschaft verändern.«[47]

In dieser 3. These wird eigentlich nur die Konsequenz aus den vergangenen zwei Thesen gezogen. Es wird ferner für die bei Kentler folgenden Kapitel der Sexualerziehung in Familie, Schule und Jugendarbeit die Grundlage gelegt.

Entscheidend ist der politische Aspekt der Sexualerziehung. Es besteht die Gefahr, daß gerade die für das Glück und die Freiheit des Menschen gedachte Erziehung zu einem trojanischen Pferd einer neomarxistischen Ideologie wird, deren Begriffe – wie etwa Freiheit und Glück – man erst anhand bisheriger sozialistischer Verwirklichungen auf ihren Realitätswert prüfen müßte. Wie schon gesagt, man wird zwischen den »Ideologien« zu wählen haben – um so mehr Grund besteht, sie zu kennen. Emanzipation – als Devise einer Sexualerziehung – sollte nicht nur präzise Auskunft geben auf die Frage: Emanzipation wovon, sondern auch auf die Frage: Emanzipation wohin!

3. Neomarxistische Ideologie

Mit dem Kampfruf »Freiheit« ist das AUSS[1] auf die Bühne westdeutscher Schulen getreten und hat, um mit anderen politischen Forderungen – nicht ohne Grund ist der Einfluß des SDS erkennbar – an den Mann, d. h. an den Schüler zu kommen[2], eine Sexualkampagne aufgezogen, die präzise geplant wurde, die in H. Marcuse, W. Reich, H. Kentler, H. Bacia ihre Ideologen besitzt[3], die an die Nöte der Schüler anknüpfte und die dennoch – nach Erklärung der Leute vom AUSS selbst – gescheitert ist[4]. Dennoch ist es interessant, die Forderungen dieser Jugendlichen und ihre Ideologien sich zu Bewußtsein zu bringen.

Sie sehen – gemäß der Philosophie von H. Marcuse[5] – die kapitalistische Gesellschaft als ein System stetiger Repression, als eine Gesellschaft, die sich durch Herrschaft und Unterordnung, Bedürfnis und Frustration immer wieder neu reproduziert und damit ihre Repression verstärkt. Diese Gesellschaft gilt es zu zerstören, an ihrer Stelle muß eine freie, beglückende Gesellschaft aufgebaut werden. Gemäß der psychoanalytischen Theorie von W. Reich (Sexualökonomie, die auch H. Kentler übernimmt), in der stetige Frustration im Sexuellen den besten Untertanen produziert, der dann seine Aggressionen an Sündenböcken abreagiert, muß diese antisexuelle, inhumane Situation zerstört werden.

Am 17./18. 7. 1967 fand in Frankfurt der erste Schülerkongreß vom AUSS statt und verabschiedete folgende »Resolutionen zur Sexualerziehung«:

> »I. In unserer Gesellschaft findet Sexualaufklärung in einem vernünftigen Zusammenhang und mit vernünftigen Methoden nicht statt.
>
> Zwar sind kraft ihrer Erziehungsfunktion zwei Institutionen vorgesehen, die Bedürfnisse der Schüler nach Sexualaufklärung zu erfüllen: Schule und Elternhaus. In ihrer Gesamtheit erweisen sich diese Institutionen jedoch zunehmend als unfähig, diese Aufgabe zu erfüllen. In der Familie bleibt die Sexualaufklärung der privaten Zufälligkeit überlassen, in der Schule werden gemeinhin alle zur Sexualität gehörenden Fragen tabuisiert oder auf einer wirklichkeitsfremden oder problemgereinigten Ebene abgehandelt. Wo überhaupt an der Schule ein Sexualunterricht besteht, bleibt dieser reduziert auf die Vermittlung einer zensierten Auswahl biologischer Fakten.
>
> Die Sexualität der Schüler und ihre sexuellen Probleme

werden kaum berührt. Sexuelle Betätigung der Schüler ist nach wie vor ein Tabu und wird mit autoritären Strafen geahndet.

II. Oberste Forderung an jede Erziehung muß sein, nicht über das gesellschaftlich notwendige Maß an Unterdrükkung hinauszugehen, sondern vielmehr die zu Erziehenden zu befähigen, gesellschaftliche Unterdrückungszusammenhänge zu durchschauen und zu durchbrechen. Das gilt insbesondere für die Sexualerziehung.

Neben der Aufklärung über alle physiologischen und anatomischen Fakten ist die Hauptaufgabe der Sexualerziehung: die Erkenntnis zu vermitteln, daß Glück und Befriedigung der Heranwachsenden nicht einer zukünftigen Glücksvorstellung und zukünftigen Befriedigungsversprechungen geopfert werden dürfen[6]. Dabei ergibt sich für die sexuelle Praxis der Jugendlichen die Forderung:

1. Sie sollen die Gefühle eines Menschen nicht rücksichtslos ausbeuten und ihn mutwillig enttäuschenden Erfahrungen aussetzen.

2. Sie sollen unter keinen Umständen fahrlässig die Zeugung eines unerwünschten Kindes riskieren[7].

III. Darum stellen die in unabhängigen und sozialistischen Schülergruppen zusammengeschlossenen Schüler für die Sexualerziehung an den Schulen die Tagesforderung auf:

1. Einrichtung eines Sexualkundeunterrichtes an der Schule, der sämtliche Vorgänge einschließt, von denen die Sexualität in unserer Gesellschaft bestimmt ist. Dazu gehören vordringlich: Aufklärung über die physiologischen und anatomischen Vorgänge während der geschlechtlichen Reife und beim Geschlechtsverkehr; Behandlung der Stellungen beim Geschlechtsverkehr; voreehelicher Geschlechtsverkehr und seine gesellschaftliche Problematik; voreheliches Liebesspiel unter Ausschluß des Geschlechtsverkehrs (petting) und seine Relevanz für die Jugendlichen; Behandlung der sogenannten Perversionen (Homosexualität, oral-genitaler Verkehr, Ona-

nie, sadistische und masochistische Triebvarianten und ihre Äußerungen usw.).

2. Bereitstellung der entsprechenden Literatur in den Schulbibliotheken, des entsprechenden Anschauungsmaterials und Einrichtung der entsprechenden Kurse. Nur dadurch können die Lehrkräfte, denen persönlich nicht immer die Verabreichung von Sexualaufklärung zugemutet werden kann, entlastet werden; nur dadurch kann die Sexualaufklärung die notwendige Grundlage erhalten, die frei von Scham, Vorurteilen und Sexualängsten sein muß.

3. Spezielle Aufklärung über Verhütungsmittel und freier Zugang zu oralen Antikonzeptiva für Mädchen nach erreichter Geschlechtsreife.

4. Abbau der Diskriminierung der sexuellen Betätigung von Schülern durch die Schulautoritäten.

5. Sofortige Freiheit und Unterstützung aller Schülerarbeitskreise über Probleme der Sexualität inclusive des Rechtes auf Durchführung von Sexualumfragen und ähnlichem an der Schule selbst.«[8]

Die diesen Forderungen entsprechenden Aktionen gerieten durch die Massenmedien in den Blickpunkt der Öffentlichkeit und ins Kreuzfeuer der Meinungen. Trotzdem blieben die Jugendlichen und ihre leicht gealterten »Vorsänger« ihren Ideen treu, mehr noch: in ihren Forderungen wurden sie radikaler – sei es, was den politischen background angeht, sei es, was die »Praxis« betrifft.

Zur politischen Relevanz dieser Aktionen sagt G. Amendt in seinem bekannten Referat in Baden-Baden:

»Wenn auch die unbehinderte sexuelle Betätigung, so wie dieser Vortrag es fordert, unabhängig von Alter, Schwangerschaft, Ehe und Partnerwahl, Voraussetzung der sexuellen Befreiung des Menschen ist, so scheint gerade in dem Augenblick, da diese Einsicht in eine politische Forderung umschlägt, und ihre Forderung ist eine eminent politische, die Frage notwendig, wie sich die Befreiung einer Einordnung unter gesellschaftliche Interessen entziehen läßt.«[9]

Die Forderung auf Praxis wird lapidar erhoben – etwa so:

»Sexualaufklärung, die nicht Erziehung zur Sexualität, zur Lustgewinnung ist, kann das erklärte Ziel der bürgerlichen Erziehung nicht gefährden.«[10]

G. Amendt sagt das gleiche ironischer, nicht ohne einen gewissen Appell an die Schüler, am Ende seines Vortrags in Baden-Baden:

»Sie aber, Schülerinnen und Schüler, fordern Sie den koedukierten, den gemischten Sportunterricht und räumen Sie Reck und Schwebebalken, Kisten und Kasten, kurz alle jene Kastrations- und Entjungferungswerkzeuge aus der Turnhalle und lassen Sie als einziges zurück Decken und Matten, auf denen Sie sich paarweise ausstrecken à faire l'amour, um Liebe zu machen ...[11]

Nun geht die Schule inzwischen den Forderungen der Schüler, insoweit sie berechtigt sind (auch ermuntert durch die Richtlinien der Kultusministerkonferenz) entgegen – und die sexualisierte Öffentlichkeit besitzt auch alle Züge von Liberalität. Aber die Leute vom AUSS sehen es zu deutlich: ein derartiges Entgegenkommen unterläuft ihre eigenen, zumal politischen Absichten, und sie werden sich weder mit einem »schönen« Sexualunterricht in der Schule noch mit den Aufklärungsfilmen à la Kolle zufriedengeben. Es geht nicht um die Theorie, es geht um die Praxis.

Deshalb lautet im Endergebnis die Forderung: Kampf nach zwei Seiten:

»Statt dessen werden sie in Zukunft einen Zweifrontenkrieg zu führen haben, nämlich auf der einen Seite gegen die traditionellen, sexuell unterdrückerischen Normen und Praktiken in Schule und Elternhaus, mit denen das Funktionieren in der autoritären Gesellschaft eingeübt wird; auf der anderen Seite aber auch gegen die neue scheinhafte, vornehmlich in ›Kolle‹-Filmen und Illustriertenserien propagierte industrielle Sexualaufklärung, die den Individuen sexuelle Befreiung innerhalb der bestehenden Gesellschaftsordnung verheißt und ihnen damit die trotz Orgasmus fortdauernde Unterdrückung verschleiert.«[12]

Was ist zu all dem zu sagen? Das Problem der repressiven Struktur unserer Gesellschaft und einer antirepressiven Revolution gehört zum philosophischen und soziologischen Repertoire von H. Marcuse, das, schmackhaft zubereitet, in Schülerzeitschriften den wenig ideologiekritischen Schülern aufgetischt wird. Die eigentliche Auseinandersetzung mit dieser sexuell verbrämten neomarxistischen Theorie muß also eine Auseinandersetzung mit den Behauptungen und Thesen H. Marcuses sein. Eine Möglichkeit der Auseinandersetzung bestünde darin, Marcuses Thesen, in denen die Ansichten Freuds mit denen von Marx verquickt werden, an S. Freud und den Theorien einer modernen Psychoanalyse zu messen. Doch dieser Disput wird zur Zeit erst auf höchster wissenschaftlicher Ebene geführt[12a]. Eine andere Möglichkeit ist diese: Marcuses sozialpolitische und ökonomische Aussagen auf ihren Wahrheitsgehalt zu untersuchen. Diesen Weg beschritt E. Eucken-Erdsiek[13]. Sie hat drei Anklagen H. Marcuses gegen unsere Gesellschaftsordnung formuliert und diesen Anklagen dann eine Erwiderung geboten.

Die erste Anklage:
»Die heutige Gesellschaft bedroht unsere Existenz: ›Es ist eine Gesellschaft, die es sich leisten kann, mit der Zerstörung zu spielen, eine Gesellschaft mit totaler Macht über Geist und Materie.‹ Aber durch ihre Leistungsfähigkeit und Produktivität wird ihr täglich Absolution erteilt.«[14]

Diese Gesellschaft führt uns also unmittelbar in die Katastrophe. E. Eucken-Erdsiek wehrt sich aber dagegen, wenn man – auch aus einer berechtigten Sorge heraus – alles Unheil der heutigen Gesellschaftsordnung anlastet, auch das, »was von vornherein in der Immanenz der fortschreitenden menschlichen Verstandeskräfte lag«[15]. Schreitet der technische Verstand voran und bleibt die politische, ethische Vernunft zurück, dann klafft hier eine Lücke, die gefährlich wird. Plädiert man für die Abschaffung von Waffen und Gewalt, dann entsteht ein Machtvakuum, das gerade jene ermuntern wird, die noch nicht die Gewaltlosigkeit leben (von der H. Marcuse träumt) und die ihre Intoleranz bis zum Exzeß demonstrieren.

Die zweite Anklage:

»Die heutige Gesellschaftsordnung betrügt uns um unsere besten Möglichkeiten. Erstens: die Menschen könnten besser leben. Zweitens: sie bräuchten weniger zu arbeiten.«[16]

Unser Lebensstandard – so gibt auch H. Marcuse zu – sei hoch, er könnte aber höher sein; durch die Rüstungsunkosten, die Werbungsunkosten, die vielen Luxusgüter werde er vermindert. Von einem objektiven Standpunkt aus gesehen, könnten Wirtschaft und Gesellschaft einer rationaleren Regelung fähig sein. Aber

»ein gerechtes Urteil kann nur davon ausgehen, wie etwa andere daneben bestehende Gesellschaftsordnungen vergleichsweise mit den entsprechenden Problemen fertig werden. Marcuse aber entnimmt seinen Maßstab einer Utopie, in der es keine Probleme gibt, fruchtbar wäre die Auseinandersetzung doch nur, wenn die Effizienz der beiden prinzipiell entgegengesetzten Möglichkeiten – freie Marktwirtschaft und zentral gesteuerte Planwirtschaft – gegeneinander abgewogen würden. Der Vergleich wird nicht gezogen.«[17]

Im allgemeinen bewegt sich H. Marcuse – so urteilt E. Eucken-Erdsiek – auf einem hohen Abstraktionsniveau, verketzert alle bestehenden Ordnungen als »Establishment« und wettert gegen die Luxusgüter, die doch – etwa die Badewanne, der Kühlschrank, das Radio – später dem Arbeiterhaushalt zugute kommen. Bei allen Forderungen nach weniger Arbeit wird übersehen, daß die spezialisierte Arbeit nicht nur einen andauernden Lernprozeß, sondern auch eine viel intensivere Arbeitsaufmerksamkeit erfordert und daß – weil ja die Arbeitsspanne eines Lebens von den Ausbildungsjahren und von den Pensionsjahren her zusammenschrumpfen wird – in dieser Hinsicht die Arbeit zunehmen wird, damit das entsprechende Einkommen in der verbleibenden kürzeren Zeit verdient wird.

Die dritte Anklage:

»Die heutige Gesellschaftsordnung ist unter der Maske der Demokratie ein System der Unterdrückung.«[18]

Das hohe Maß an Freiheit in unserer Gesellschaft ist für H. Marcuse kein Gegenbeweis wider seine stets wiederholte Behauptung. Er sieht als eigentliches Verhängnis, daß die Gesellschaft immer mehr den einzelnen manipuliert, ihn zu einem »sublimen Sklaven« macht. Gipfel der Anklage ist, diese heutige ökonomisch-technische, gleichgeschaltete Gesellschaft sei ebenso totalitär wie ein terroristisches Gewaltsystem.

Nun kann man in unserer Gesellschaft den Konformismus – als reale Gefahr und als Wirklichkeit – nicht bestreiten. Doch

»es gibt für Marcuse keinen ins Gewicht fallenden Unterschied zwischen einem System, in dem, wie ein kommunistischer Rebell es neulich ausgedrückt hat, die einzige Freiheit darin besteht, ›die Zehen im Schuh bewegen zu dürfen‹, und einer Ordnung, in der alle bürgerlichen Freiheiten durch Rechtsgarantien geschützt sind.«[19]

Auch die Manipulation der Bedürfnisse ist ein höchst schwieriges Problem: Lenkung in einer Massengesellschaft durch einen Befehl von oben oder durch die individuelle Nachfrage. H. Marcuse kann sich für keine der beiden Möglichkeiten entscheiden.

Denn Bedürfnisbefriedigung verbindet mit dem System, ist unerwünscht, verschleiert den »repressiven Charakter« des Systems und lähmt den Geist der Revolution. Der entscheidende Vorwurf: Repression wird greifbar 1. in den Sachnotwendigkeiten einer freien Gesellschaft (als würde die Mißachtung der Sachnotwendigkeit nicht wieder auf die Sozialordnung zurückschlagen), 2. in den Entfremdungen des Menschen von seiner Arbeit und in der dadurch bewirkten Selbstentfremdung (als sei dies nicht ein Tribut an die Arbeitsteilung – ein Problem, das in Marcuses Sozialstaat von selbst entfällt, weil die Arbeit in ihr schwindet) und 3. in der Manipulation der politischen Meinung. Auch hier nimmt dann die Zukunft den Platz der realen Planung ein:

»... wieder werden Zustände unserer Gesellschaft, die gewiß verbesserungsbedürftig sind, nur aus der Sicht seiner Zukunftsvision gewertet, in der mit der ›Abschaffung der öffentlichen Meinung‹ auch das Problem selbst abgeschafft wird. Und wieder taucht das Gegenbild der totalitären Gesellschaft nicht auf.«[20]

Doch gibt es in unserer Gesellschaft eine freie Presse, eine öffentliche Meinung, es besteht die Möglichkeit freizügiger Reisen ins Ausland (als Informationsmöglichkeiten), es herrscht eine Toleranz der Gesellschaft gegen aufsässige Gruppen – fast bis zur Selbstaufgabe. Aber alle diese Wirklichkeiten und alle Vorurteile befriedigen nicht. Es ergibt sich deshalb notwendig: »Die heutige Gesellschaft als ein System der Gewalt fordert die Gegengewalt der Unterdrückten heraus. Revolution ist notwendig, ist gerechtfertigt, ist die Aufgabe.«[21] Es geht um Rebellion, um Anwendung der Gewalt, auch jenseits der Legalität[22], um die große Weigerung. H. Marcuse entwirft einen Schlachtplan, wie er die bestehende Gesellschaft – da sie sich nicht selbst aufgeben will – zwingen will, Schritt um Schritt zurückzuweichen und der Rebellion Platz zu geben. Die Zeichen stehen – meint H. Marcuse – insgesamt auf Sieg. Was aber, wenn der Sieg da ist?

E. Eucken-Erdsiek antwortet·

»Jeder fragt doch danach, was Marcuse nach dem erhofften Sieg zu bieten hat. Und noch niemand hat eine Antwort darauf erhalten. Marcuse selbst erklärt am Schluß seines Buches (Anm.: *Der eindimensionale Mensch*), daß seine Theorie ›keine Begriffe besitzt, die die Kluft zwischen dem Gegenwärtigen und seiner Zukunft überbrücken könnten; indem sie nichts verspricht und keinen Erfolg zeigt, bleibt sie negativ‹. Das aber ist der geistige Offenbarungseid. Alle großen Probleme der Menschheit werden so behandelt, als ob ihrer Lösung nichts weiter entgegenstünde als die repressive Ordnung unserer Gesellschaft. Das ›falsche Bewußtsein‹ muß deshalb verdrängt werden. Aber das ›rechte‹ weiß keinen Rat. Es bleibt nur die ›große Weigerung‹ – die reine Negation.

So primitiv hat sich noch keine sozialrevolutionäre Konzeption dargestellt. Marcuse und die Seinen haben nichts zu bieten als den Willen zur Revolution. Sie können nur die Fäuste ballen, aber ihre Hände sind leer.«[23]

In dieser harten Kritik an H. Marcuse, dessen sozial-ökonomische Bewertung und Analyse der heutigen Situation und dessen Sozialutopie die »sexuelle Revolution« begründen, wird klar: Die Thesen sind formuliert, die Behauptungen blieben bislang unbewiesen. Wie bei W. Reich drängt an die Stelle des Beweises der Glaube an eine soziale Utopie. Dies sollte man sich deshalb zu Bewußtsein bringen, weil die vielen kleinen und großen Abschreiber die Ideen von H. Marcuse und W. Reich auf ihre politischen Mühlen wie ein treibendes Wasser leiten. Eine echte Auseinandersetzung mit den sozialrevolutionären, neomarxistischen Thesen kann nur erfolgen, wenn die Kritik der Sozialutopie, die bei H. Marcuse entworfen wird unter dem Motto »Neue Moral in neuer Gesellschaft« oder anders »Totaler Eros in totaler Freiheit«[24], einmal die Entlarvung der Realitätsblindheit leistet, zum anderen aber dazu beiträgt, das in den Sozialutopien investierte Glücksverlangen nach Konfrontation mit der auch durch die Theologie erhellten Realität zur Selbstbescheidung zu führen.

4. Biologische Fixierung

Eine biologische Konzeption scheint mir dort vorzuliegen, wo der Mensch unter der Rücksicht seiner leiblichen Herkunft, seiner Herkunft aus dem Tierreich, einseitig gesehen und seine im Geist verwurzelte Freiheit übersehen wird. Die Herkunft im Sinne einer evolutionistischen Theorie soll nicht bestritten werden, aber es fragt sich doch, ob diese Herkunft alles Sagbare über den Menschen aussagen kann.

Typisch kommt dies in A. C. Kinseys Buchtitel zum Ausdruck: *Das sexuelle Verhalten des menschlichen Weibchens* bzw. *Männchens.* Ein ähnlicher Ansatzpunkt liegt wohl auch bei W. H. Masters und V. E. Johnson in ihrem

Buch *Die sexuelle Reaktion* vor. In der Erforschung sexueller Reaktionen wird noch wenig über das Gesamtphänomen menschlicher Geschlechtlichkeit in Liebe und Partnerschaft ausgesagt. Nun waren sich Masters und Johnson dieses Teilaspektes der Sexualität bewußt, als sie nur das Organische der Vorgänge untersuchten und psychologische und soziologische Faktoren unberücksichtigt ließen. Dazu kommt, daß die ausgewählte Gruppe der Testpersonen (ungefähr 700 Probanden, anfangs nur Prostituierte) für die Gesamtbevölkerung nicht repräsentativ ist[1]. Diese Begrenzungen werden dann aber bei den Publikationen in den Massenmedien unterschlagen. – Ebenso finden sich bei C. S. Ford und F. A. Beach in *Formen der Sexualität. Das Sexualverhalten bei Mensch und Tier*[2] Tendenzen in dieser Richtung; denn selbst wenn ein ähnliches Verhalten bei den Menschenaffen, den Primaten, vorliegt, die Übereinstimmung von Fruchtbarkeit und Paarungsbereitschaft weniger scharf ist[3], ist noch lange nicht gesagt, daß diese Tatsache etwas über die menschliche Frau kundgibt. Es geht nicht um die (homologe oder heterologe) Ähnlichkeit, sondern um die Vergleichbarkeit der Phänomene.
Am schärfsten wird diese Richtung vertreten von W. S. Schlegel, vor allem in seinem Buch *Die Sexualinstinkte des Menschen. Eine naturwissenschaftliche Anthropologie der Sexualität*[4]. W. S. Schlegel sieht den Menschen durch sexuelle Instinkte derart determiniert und durch die Körperkonstitution so vorherbestimmt, daß eine Sexualerziehung nur teilweise möglich ist. Er schreibt:

> »Die Erkenntnis, daß so vieles vom Verhalten des Menschen durch die Konstitution vorgezeichnet ist und auf dem Gebiet der Sexualität sogar durch unausweichliche Instinkte gesteuert wird, braucht nicht zu einem Verzicht auf erzieherische Maßnahmen, zu einem pädagogischen Nihilismus zu führen. Die soziale Einordnung des Menschen ist, wie erwähnt, nicht durch Instinkte gesichert ... Unbeeinflußbar durch Erziehung und soziale Ordnung ist nur, zu welchen Partnern des anderen oder des gleichen Geschlechts durch die Instinktsteuerung eine

sexuelle Anziehung herbeigeführt wird. Weitgehend unbeeinflußbar ist, welchen Formen des unmittelbaren sexuellen Kontaktes den individuell höchsten Grad der Befriedigung im Sinne der Ausgleichsfunktion der Sexualität gewähren. Unbeeinflußbar durch soziale Ordnung und Erziehung ist darüber hinaus die allgemeine Tatsache, daß der männliche Jugendliche von der Pubertät an ein gewisses Maß sexueller Befriedigung und geeigneter sexueller Kontakte nicht zuletzt zur Entfaltung seiner ethisch-altruistischen Vorstellung dringend benötigt. Unbeeinflußbar ist die Tatsache, daß das Höchstmaß sexueller Bedürftigkeit bei der Mehrzahl der männlichen Jugendlichen zwischen dem 16. und 17. Lebensjahr besteht, während eine solche Bedürftigkeit beim weiblichen Geschlecht erst mehrere Jahre später bedeutsam wird.«[5]

Diese Sätze sind ein buntes Gemisch aus medizinischen Tatsachen, psychologischen Behauptungen und sittlichen Implikationen. Doch verglichen mit der ersten Ausgabe des Buches haben sich die Ratschläge, die W. S. Schlegel damals für die Geschlechtserziehung erteilte, sehr verbessert; denn über die erste Ausgabe mußte H. Hunger urteilen, daß die Ratschläge allgemein depraviert seien und »geeignet, in wissenschaftlich-dilettantischer Form falsche, sexuell überzogene Leitbilder zu vermitteln.«[6]

Diese biologistische Einstellung wird noch beim Problem »Schamgefühl« sichtbar:

»Ist die Erziehung zu einem gewissen Schamgefühl erforderlich bzw. ist ein solches Schamgefühl ein von der Gemeinschaft zu schützender Wert? Diese Frage läßt sich nur aus der Kenntnis der Instinkte beantworten. Wir wissen, daß Tiere – und zwar nicht nur die Haustiere – eine genitale Vereinigung unbeschadet der Gegenwart oder Nähe anderer ausführen. Ein instinktives Schamgefühl kann demnach auch beim Menschen nicht angenommen werden ...«[7]

Selbst wenn dann sein Plädoyer für Schamerziehung recht vernünftig ist, scheint dennoch der Hinweis auf diesen Zusammenhang absurd. Gerade der Mensch ist ja nicht mehr

das instinktgebundene, triebgesteuerte Wesen. Dieser Instinktmangel wird gerade durch seine Intelligenz ausgeglichen. Scham ist wohl in der Hinsicht eine Anlage, daß – nach Ausweis der Ethnologie – ähnliche Gefühle und Praktiken sich in allen Kulturen finden. Was nicht vorhanden ist, läßt sich nicht entwickeln. Zwischen Anlage und »Instinkt« besteht aber doch ein bedeutender Unterschied.
Auch an dieser biologistischen Ideologie, die entweder aus einer für den Gesamtmenschen blinden Medizin oder einer überstrapazierten Verhaltensforschung oder einer sehr unscharfen Psychologie herkommt, wird deutlich, wie sehr Aprioris sich in den Behauptungen über die Sexualität des Menschen und in den Einzelheiten einer Sexualerziehung auswirken. Letztere sind dann nur die Erfüllungsgehilfen jener Thesen, die unterschwellig schon längst vorhanden waren.

VI. Krise der Sexualmoral und Normenpluralismus

Versteht man unter der Sexualmoral jene kirchliche Wissenschaft, die – als Teil der Sozialmoral – das sexuelle Verhalten des Menschen unter das Wort Gottes stellt und von der Weisung Gottes her das Gute, das Vollkommene und damit auch das Beglückende in der Begegnung der Geschlechter für den Menschen einer gewissen Zeit zu bestimmen sucht, dann hat diese Wissenschaft einen unmittelbaren Bezug zur Praxis, zum christlichen Lebensvollzug, werden doch ihre sehr prinzipiellen Erkenntnisse in Imperative des Verhaltens umgesetzt. Einer praktischen Wissenschaft wird aber nur solange ein Wert zugesprochen, als ihre Theorie der Praxis gerecht wird und deshalb auch wieder die Praxis prägt.
Solange die empirische Sozialforschung noch nicht den Einstellungen und den Verhaltensweisen des Menschen nach-

ging, konnte man der tröstlichen Ansicht sein, die Transmission der Prinzipien mittels differenzierter Normen in reales Leben gelinge sehr gut, sieht man einmal davon ab, daß das begründete schlechte Gewissen dem einzelnen jeweils seinen Konflikt mit den Normen und sein abweichendes Verhalten anzeigte, eine Erfahrung, die sich selten addierte und sich so zur Kritik der Normen verdichtete, daß diese schlechthin in Frage gestellt wurden. Inzwischen beweist die Sexualstatistik bis in letzte Motivationen des sexuellen Verhaltens hinein: Nur wenige Kirchentreue befolgen alle Vorschriften und Gebote der Kirche bis aufs Jota – und diese werden von Bewunderern als der letzte Rest der Gläubigen bezeichnet und von den Skeptikern als die letzten angenehmen Untertanen gewertet, die in einer repressiven Manier erzogen wurden. Daneben gebe es – sagt die Statistik – einen Kreis von solchen, die sich nur partiell mit der Kirche und ihren moralischen Vorschriften identifizierten und sich weithin einen eigenen Sittenkodex entwürfen – und wieder andere, die ihren Gott wie ihren Lebenssinn auf eigene Faust suchten und die Institution Kirche – zumal im Hinblick auf den Intimbereich Liebe, Sexualität und Ehe – für höchst überflüssig hielten.
Diese Erkenntnisse – durch Massenmedien simplifiziert und mit dem naiven Glauben an die »normative Kraft des Faktischen" unter das Volk gebracht – drangen auf die Dauer in das Bewußtsein eines jeden. Diese Nachrichten setzten bei den Einfältigen unmittelbar den Einfluß der Kirche überhaupt und der Sexualmoral im besonderen beträchtlich herab; bei Intelligenten erzeugte die Reflexion über diese Nachrichten eine tiefe Skepsis gegenüber der Autorität. Die Erfahrung, daß man nun, befreit vom äußeren Zwang eines sozialen (religiös-geprägten) Milieus und vom inneren Zwang introjizierter »Schuldgefühle« ein irgendwie geartetes christliches Leben – in Anpassungsfreude und aus Konformitätsdruck – in eigener Entscheidung gestalten könne, erklärt nicht allein die geringe Aufmerksamkeit, die man dem Wort der lehrenden Kirche in den Fragen der Sexualmoral entgegenbringt (vgl. die Reaktion auf die

Enzyklika Pauls VI. »Humanae vitae«). Im Hintergrund des Disengagements scheint mir ein Mißtrauen gegenüber den Aussagen der kirchlichen Autorität überhaupt zu stehen, ein Mißtrauen, das aus einer unbewältigten Geschichtlichkeit der Kirche und der Moral aufbricht[1].

Zu den tiefgreifenden Einsichten unserer Zeit zählt, daß der Mensch ein geschichtliches Wesen ist. G. Krüger führt in seinem Buch *Grundfragen der Philosophie* zu diesem Thema aus:

> »Wir leben in einer Zeit totaler und freier Geschichtlichkeit. Daher das heutige Bewußtsein, daß alle bisherigen Begriffe vom Leben versagen, daß jetzt gewissermaßen alles möglich ist und daß von dieser Situation kein Mensch unbetroffen ist. Die Macht der Geschichte hat gleichsam das ganze Wesen des Menschen verzehrt; die Möglichkeit des Menschen, seinem Leben selbst das Gepräge, den Charakter zu geben, ist so radikal geworden, daß nichts mehr selbstverständlich ist, nichts mehr feststeht, nichts mehr außerhalb einer möglichen Neugestaltung ist. Die Geschichtlichkeit des Lebens ist extrem geworden.«[2]

Ist der Mensch aber geschichtlich, dann auch der Christ und die Gemeinde des in Christus geschichtlich greifbar gewordenen Gottes. Die Kirche selbst hat die Einsicht in ihre Geschichtlichkeit auf dem Zweiten Vatikanischen Konzil in einem neuen Selbstverständnis ratifiziert. Verstand sie sich doch als die durch die Zeiten pilgernde Kirche, als das Volk Gottes, das unterwegs ist, als die »ecclesia semper reformanda", als die Gemeinde, die einer stetigen Reform bedarf. In der Konstitution »Kirche und Welt« heißt es:

> »Auch in unserer Zeit weiß die Kirche, wie groß der Abstand ist zwischen der von ihr verkündeten Botschaft und der menschlichen Armseligkeit derer, denen das Evangelium anvertraut ist. Wie immer auch die Geschichte über all dies Versagen urteilen mag, wir selber dürfen dieses Versagen nicht vergessen, sondern müssen es unerbittlich bekämpfen, damit es der Verbreitung des Evangeliums nicht schade. Die Kirche weiß auch, wie sehr sie

selbst in ihrer lebendigen Beziehung zur Welt an der Erfahrung der Geschichte immerfort reifen muß.«[3]

Die Kirche hat auf dem Konzil versucht, das Alte beiseite zu tun und sich neu zu kleiden, nicht mehr dem Clown im Sinne des Kierkegaardschen Exempels zu gleichen, der des Zirkusbrands wegen ins nahe Dorf rennt, um Hilfe ruft, auf die Gefahr für das Dorf hinweist und ausgelacht wird. Da sie jetzt in neuen Kleidern ankommt, sagte man ihr: Kirche, du bist nicht mehr die alte! Und man tut so, als kenne man sie nicht. Ihre Wahrheiten klingen plötzlich so ungewohnt; sie scheinen verändert. Ob aus Gründen der Modernität oder Opportunität, fragen sich manche. Was gestern etwa noch verteidigt wurde, kann man heute bestreiten; worauf man sich gestern berief, daran mögen manche Autoritäten heute nicht mehr erinnert werden. Die Erfahrung, daß es anscheinend keine objektive Wahrheit mehr gibt, begründet den Vertrauensschwund. Man hält in dieser nachkonziliaren Kirche alles für möglich und rechnet heute schon mit der Aufgabe dieser oder jener Positionen, wenn denen – so sagt man – nur einmal ein Licht aufgegangen sein wird. Man hört, falls etwas gesagt wird (manche Autoritäten ziehen es überhaupt vor, zu schweigen), kritisch hin und wartet auf das nächste Wort.

Gerade die Berufung auf die frühere, zeitbedingte Aussage steht dem gegenwärtigen Anspruch im Wege. Was hat z. B. auch im Bereich der Sexualmoral das gläubige Volk nicht alles schon für richtig gehalten und mit dem Hinweis auf das Wort höchster Autoritäten getan? Man berief sich etwa in der Väterzeit auf Augustinus, im Mittelalter auf Thomas von Aquin, in der Neuzeit auf Pius XII. Diese Skepsis ist enttäuschtes Vertrauen, könnte man meinen. Sie ist aber in der Tat eine mangelnde Einsicht in die Geschichtlichkeit der Kirche und ihrer Weisungen. Immer wieder nämlich war (und ist) die Kirche bei den sehr formalen Aussagen der Schrift über das sexuelle Verhalten des Menschen genötigt, mit den Erkenntnissen und in der Sprache der jeweiligen Zeit die Botschaft Christi, den Anspruch Gottes an die Menschen, zu verkünden. Dabei gerieten auch Motivationen und schwer zu fixierende Vorurteile und Unterstellungen in die Botschaft – mehr unterschwellig zwar und im simplifizierenden Volksglauben als in der verbindlichen, authentisch verkündeten Lehre –, die eben Vereinseitigungen, Akzentverschiebungen, vielleicht sogar »Häresien« waren. Der Einfluß des Ataraxie-Ideals der Stoa und der Geistbetonung in der Gnosis auf die Sexualethik der frühen Kirche, der Einfluß eines leibfeindlichen Manichäismus auf Augustinus – etwa in seiner Idee von der Paradiesesehe –, der Einfluß der Rechtslehre Ulpians auf die Frühscholastik in ihrer Naturrechtslehre, der Einfluß der Biologie des Aristoteles auf Thomas von Aquin und die Hochscholastik, der Einfluß der Prüderie der Philanthropen und von J. J. Rousseau auf die Predigt und Katechese des 19. Jahrhunderts – alles Beispiele für diese Geschichtlichkeit der Moral. Zum großen Teil wurden diese kryptogamen Häresien durch die nächste, ebenso zeitbedingte Antithese wieder überwunden (es findet sich auch in der Moral eine Evolution), aber heute zitieren aufklärerische Moderne diese Fakten von gestern als stichhaltige Beweise gegen den Anspruch der Kirche von heute. Man holt – teils aus bösem Willen, teils aus mangelnder »Anstrengung des Begriffs" – den Historismus des letzten Jahrhunderts nach. Es wäre – um im Vergleich zu reden – ein ähnliches Unterfangen, wenn Anthropologen den Neandertaler als Instanz gegen den heutigen Menschen ins Feld führten und nicht vielmehr versuchten, eine Kontinuität zwischen beiden zu entdecken.

Wenn man also der Sexualmoral gerecht werden will, muß man diese Geschichtlichkeit, mit ihrer Bedingtheit und Wandelbarkeit, in ihre Beurteilung mit einbeziehen. Man darf sie auch für die heutige Sexualmoral nicht vergessen; denn auch die heutige Zeit wird von einem objektiven Geist, von geistigen Strömungen geprägt. Das Pathos der Empirie, der Glaube an die Statistik, die Hoffnung auf den Fortschritt bei gleichzeitigem Zweifel an der Zukunft, der kämpferische Humanismus und die sozialen Utopien, die Eroberung des Mondes und die Entdeckung des Unbewußten, der Mythos der Jugend, die »Verherrlichung« des Leibes und der Vorrang der Sexualität – das alles wird auf die Entwürfe einer modernen Sexualmoral einwirken. Dieser Geschichtlichkeit hat also die Sexualmoral von heute ihren Tribut zu zahlen, da sie dabei ist, sich teilweise von der Biologie der Geschlechtlichkeit zu lösen und sich mehr der Psychologie und der Soziologie der Geschlechter zuzuwenden. Bei diesem Unternehmen steht die Sexualmoral weithin ratlos da. Auch diese Ratlosigkeit wird zur Teilnahme an der geschichtlichen Situation; denn bei der Radikalität des heutigen Umbruchs sehen sich viele Disziplinen – etwa auch die Pädagogik – ungelösten und weithin unlösbaren Problemen gegenüber, und es bleibt nur eines: Leitbilder und Modelle zu entwerfen – im Mut zum Vorläufigen.

Dabei wird das Verstehensmodell der Sexualität[4], wie es die christliche Sexualmoral vorlegt, konfrontiert mit anderen Auffassungen. Ein Verständnis der Sexualität kann man auf folgenden Nenner bringen: Geschlechtlichkeit ist ausschließlich Spiel und Genuß. Man wird zugeben müssen, daß diese Anschauung eine Reaktion auf die Verzweckung und Funktionalisierung der Geschlechtlichkeit darstellt, wie sie etwa in der Ehezwecklehre mitschwang, wie sie ebenso eine moderne Sexualtechnik impliziert. Dieser neuen und zugleich alten Ansicht – Spiel und Genuß – erscheint Sexualität als stets zuhandende Möglichkeit zu intensiver körperlicher Freude[5]. Lust und Spaß bleiben als vordergründiges moralisches Prinzip übrig.

Ein anderes Verständnis übersteigt diese »fun morality« und umgreift sie mit der Aussage: Geschlechtlichkeit ist ein gültiger Ausdruck personaler Liebe. Geschlechtliche Hingabe wird als ein Zeichen tiefer, personaler Verbundenheit und echter Liebe gewertet. Allerdings wird dann Liebe, die wiederum stark gefühlsbetont verstanden wird, als das einzige Gesetz dieser Liebe gesehen, der sich die Sexualität zu unterwerfen hat. Man muß eingestehen, daß diese Anschauung ein beachtliches ethisches Niveau besitzt. Unsittlich ist in dieser Konzeption die pure Sexualität ohne per-

sonale Beziehung; denn sie würde das Geschlechtliche entwürdigen und seines Sinnes berauben. Sittlich gut scheint den Anhängern dieser »Lehre« jedes geschlechtliche Empfinden und Handeln, das einer persönlichen Verbundenheit entspringt und vom Gefühl der personalen Zuneigung geformt ist. Da es aber unmöglich ist, den Bestand dieser liebevollen Zuwendung auf die Dauer zu garantieren, wäre es – im Sinne dieses Verständnisses – allerdings angemessen, wenn die Partner ihre intime Beziehung beenden, sobald die emotionale Bindung, aus der sie hervorging, aufgehört hat. Das Problem liegt nun darin: Wo sind die Kriterien für die Tiefe der emotionalen Bindung, für Anfang und Ende dieser »Liebe"? Lassen sich für »Gefühle« überhaupt solche Maßstäbe finden? Die moralische Anfechtbarkeit dieser Position beruht ferner darin, daß sie auch bei Verheirateten außerhalb der Ehe legitimiert wird, wobei es doch utopisch ist, ein derartiges Verhalten als einen Gewinn für die Ehe von vornherein einzukalkulieren. Daß das Neue Testament den Ehebruch schlechthin verurteilt, wird dabei als christlicher Standpunkt gänzlich übersehen.
Insgesamt darf man sagen: Eine derartige personalistische, reflektierte oder unreflektierte Motivation der Sexualität bestimmt weithin das sexuelle Verhalten der jungen Menschen, wie H. Giese und G. Schmidt auch bei den deutschen Studenten nachgewiesen haben[6].
Mit diesen beiden Modellen wird ein christliches Verständnismodell konfrontiert, das sicher die beiden ersten einschließt und umfaßt, wenn es Geschlechtlichkeit als Ausdruck totaler Lebensgemeinschaft, als Partnerschaft versteht. Wahre Liebe schließt den Willen zur Dauer und Ausschließlichkeit der Beziehung ein, will nicht nur eine beglükkende und geglückte intime Begegnung verantworten, sondern für die Begegnung mit einem Menschen einstehen, der wesentlich eine Geschichte hat. Damit geht der Liebende in der intimen Begegnung eine echte Bindung ein. Wird diese personale Geschichtlichkeit des Menschen übersehen, schrumpft seine Existenz auf eine Summe von Augenblikken (wie beglückend sie auch sein mögen) zusammen. Es

fehlt die Kontinuität eines Lebens, es mangelt ihm seine Gestalt.

Diese Zielvorstellung, begründet in dem formalen Gebot der Liebe, wie es das Neue Testament aussagt[7], und material mittels einer personalistischen Anthropologie gefüllt, stellt gewiß eine anspruchsvolle Forderung an den sittlich strebenden Menschen dar. Sie deshalb als »Virtuosenethik« (Chr. Rohde-Dachser)[8] zu bezeichnen, wertet sie wieder ab. Man wird allerdings eingestehen müssen, daß nicht jeder Mensch in seinem subjektiven Verhalten zu jener Reife findet, die diese personale Auffassung voraussetzt; man wird ferner einkalkulieren müssen, daß Milieu und Zeitgeist der Verwirklichung einer solchen Forderung dienlich oder abträglich sein können, wobei heute die Widerstände aus der Zeitsituation wohl größer sind als die Hilfen.

Dennoch wird bei der Pluralität heutiger Normen – und daß Normen sowohl als individuelle Verhaltensvorgabe wie als sozial stabilisierende Faktoren notwendig sind, wird aufgrund einer modernen Soziologie gewiß nicht geleugnet werden können! – auch diese christliche Position vorzutragen sein, die im wesentlichen eine Aussage über den Menschen als solchen (und nicht nur über den Christen) enthält. Je weniger ein Milieu und eine Autorität zur Übernahme dieser Norm nötig, je mehr die gesamte Öffentlichkeit den Menschen zur Gestaltung seines Lebens auf eigene Einsicht und auf eigenes Risiko freigibt, um so mehr wird auch die Sexualmoral von jenem Charakteristikum der christlichen Botschaft geprägt, das für diese Botschaft wesentlich ist: sie wird zur Einladung, zu einem Appell. Moral ruft zur Entscheidung.

VII. Sittliche Normen des vorehelichen Lebens

Bevor über sittliche Normen des vorehelichen Lebens gesprochen werden kann, sind zwei Vorbemerkungen zu machen, eine mehr psychologische und eine mehr moraltheologische, von deren Annahme alle weiteren Aussagen abhängen.

Psychologische Vorbemerkung

Die Integration der Sexualität in die Person stellt für den jungen Menschen eine wichtige sittliche Aufgabe dar, und das aus der Selbstverwirklichung entspringende Glück gelingt nicht ohne Zucht.

Der Mensch als das »nicht festgestellte Tier« (Fr. Nietzsche) ist sich selbst aufgegeben. Er findet sich nicht fertig in der Welt vor, sondern vollzieht im Laufe seines Lebens seine »Menschwerdung«, die eine moderne Soziologie als Personalisation, Sozialisation und Enkulturation beschreibt. Innerhalb dieser »Menschwerdung« spielt die Integration der Sexualität in die Person eine besondere Rolle. Ist der Mensch in der Tat nicht durch Instinkte und angeborene Schemata in seinem sexuellen Verhalten und auf seine Sexualobjekte festgelegt und ist zugleich ein sexueller Antriebsüberschuß vorhanden, so bedarf es einer Formung dieser Triebkraft, einer Versittlichung dieser Fähigkeit, ihrer Humanisierung. Es geht darum, nicht ziellos die heute frühzeitiger gereifte Fähigkeit auszuüben, sondern das sexuelle Drangerleben personal zu steuern und sittlich zu verantworten, d. h. unter den Maßstab von Gut und Böse zu stellen. Diese vom Trieb selbst ob seiner Blindheit und Ambivalenz auferlegte Notwendigkeit scheitert nicht an seiner psychologischen Eigenart; denn er ist plastisch. Gerade von S. Freuds Einsichten her würde sich ergeben, daß die Spannungen von partiellen Trieben, die auf eine umfassende Ganzheit zielen, normalerweise Unlust und Konflikt entwickeln. Einzelne Triebe, die in ihren Zielen, die auf eine höhere Einheit hintendieren, unverträglich sind, müssen von ihrer ursprünglichen Absicht abgelöst und auf ein höheres Niveau gelenkt werden. Die Einzeltriebe sind weder absolut auf ihr Partialobjekt hingerichtet, noch müssen sie unbedingt abgesättigt werden. Sie sind einer Umgestaltung, d. h. einer »Sublimierung« fähig. Eine grenzenlose Befriedigung der Einzeltriebe ohne Rücksicht auf das Gesamtinteresse des Ichs mit seinem Bedürfnis nach Einheit und seiner Angewiesenheit auf geordnete Umweltbeziehungen ist für S. Freud das Kennzeichen der Psychose[1]. H. Schelsky weist in diesem Zusammenhang darauf hin, daß diese Sublimation nicht in künstlerischen, religiösen oder kulturellen Betätigungen nur Ersatzbefriedigungen fände, sondern daß das Eingehen auf die Eigengesetzlichkeit der neuen Handlungsmöglichkeiten eine Veränderung der vitalen Bedürfnisse selber, also z. B. eine echte Entsexualisierung der Antriebsverfassung nach sich zöge[2].

In der Sublimierung – als der Ordnung der Teiltriebe in Konfrontation mit der Realität – wird der junge Mensch Herr seiner sexuellen Fähigkeit, und dadurch erst wird er nicht mehr getrieben. Gerade in der anzustrebenden Freiheit wird die sittliche Bedeutung dieser Aufgabe sichtbar. Der eingeordnete Trieb verhilft dem Jugendlichen zu einer personalen Selbstverwirklichung, zumal in der Begegnung mit dem Partner, in Kommunikation und Liebe. Aus der fortschreitenden Selbstverwirklichung, die allerdings nie total erreicht wird, dennoch aber asymptotisch anzustreben ist, entspringen Glück, Freude, Zufriedenheit, jene auf dem Selbstwerterleben aufruhenden Gestimmtheiten, die tieferen seelischen Schichten als Lust angehören und die deshalb auch beständiger sind. In der Entfaltung der Person, die nur in Kommunikation und im Dialog mit anderen gelingt, erfährt der Mensch nicht nur die Zustimmung des anderen, sondern auch die seines Gewissens, insofern er gut handelt. Die Erfahrung dieser Güte fördert wiederum sein sittliches Bewußtsein.

Auf eines sei noch hingewiesen: Die Bedingung der Möglichkeit der Integration der Sexualität in die Person liegt wesentlich und zuerst im plastischen Charakter des Sexualtriebs. Diese Möglichkeit wird entscheidend eröffnet oder eingeschränkt in der frühen Kindheit[3], in der ein grundlegendes Verhältnis zum eigenen (und fremden!) Leib mitgegeben, eine gewisse Frustrationstoleranz eingeübt und die belohnende Erfahrung des Guten in jener Freude und Liebe gemacht wird, die in der Begegnung mit einem liebenden Partner – eben in der Kindheit mit Mutter und Vater – enthalten sind. Über diese Integration und die damit geforderte Askese schreibt H. Schelsky zusammenfassend:

> »In der Askese, besonders der geschlechtlichen, schafft sich der Mensch eine der Trieberfüllung entgegengerichtete Antriebsstruktur, deren Bestand wir als Grundlage aller höheren sozialen und kulturellen Organisation ansehen müssen. Dieser auch in anderen psychischen Vorgängen erkennbare Zusammenhang ist als ›Sublimation‹ der Triebe (Freud), als ›asketischer Akt der Außerkraftsetzung des Lebensdranges‹ (Scheler), als ›Umkehr der Antriebsrichtung‹ (Gehlen), daher oft als konstituierende Leistung des Kulturwesens Mensch beschrieben worden.«[4]

Wo demnach diese Integration der Sexualität nicht mehr geleistet wird, ja aufgrund einer politisierenden Triebpsychologie (W. Reich) gar nicht mehr erstrebenswert erscheint, wird im Konflikt zwischen individuellem Selbstwerden und sozialem Eingeordnetsein deutlich für eine Humanität operiert, die aufgrund ideologischer Prämissen auf die Verwirklichung einer Einheit von Glück *und* Würde verzichtet hat.

Moraltheologische Vorbemerkung

Der Primat der Liebe bestimmt – zumal in der heutigen Zeit – wesentlich jede Sexualmoral.

Will man nicht Gefahr laufen, den Bereich der Sexualität zu desintegrieren, vom Gesamt des christlichen Lebens aus- und abzusondern, dann muß dieser Bereich unter einen ihn übergreifenden Begriff gebracht werden. Sonst gerät Sexualität unberechtigterweise so in die Mitte der Beachtung, daß durch die Überbewertung der Mensch ebenso wie durch eine Veränderung neurotisiert wird. Pansexualismus ist ebenso verhängnisvoll wie ein abwertender Manichäismus. Es geht demnach um den »Primat der Liebe«[5], um den Titel einer auch heute noch lesenswerten Schrift zu zitieren, die August Adam 1931 verfaßte.

A. Adam ging der merkwürdigen Tatsache nach, daß man zu seiner Zeit Sittlichkeit mit geordnetem sexuellen Verhalten schlechthin gleichsetzte. Im Gegensatz dazu hob er, indem er sich auf die Botschaft Jesu berief, die Liebe als die entscheidende christliche Tugend, als die eigentliche Aufgabe des Christen heraus. Er schreibt:

> »Die Königin unter allen Tugenden, die Perle unter ihnen, ist darum unzweifelhaft die Liebe, und wer – selbst in bester Absicht – irgendeine andere Tugend zur Königin macht, depossediert dadurch die Caritas und verschiebt den Akzent der Sittlichkeit vom zentralen auf ein peripheres Gebiet. ›Sittlich‹ im eminenten Sinn ist darum der Mensch, in dem die heilige Liebe glüht: zunächst die von der Gnade eingesenkte Gottesliebe, dann aber deren unzertrennliche Schwester, die übernatürlich gegründete und geordnete Nächstenliebe. Wenn diese Liebe für Christus und die Apostel die Norm der Sittlichkeit, die Erfüllung des ganzen Gesetzes darstellt, dann haben wir nicht das Recht, einen anderen Maßstab der Sittlichkeit an deren Stelle zu setzen, dann muß auch für uns Christen die Gottes- und Nächstenliebe der Maßstab sein, an dem wir die sittliche Höhe unserer selbst und – soweit es uns zusteht – unseres Nächsten messen.«[6]

Wegen dieser und ähnlicher Ausführungen – zumal über das Problem der parvitas materiae in sexto – wurde A. Adam damals nicht wenig angegriffen, wohl auch deshalb, weil die Kirche damals noch nicht dazu gekommen war, aufgrund einer vertiefteren Kenntnis der Heiligen Schrift eine zeitgemäßere christliche Spiritualität zu entwerfen.

Dieses formale Gebot der christlichen, d. h. sich verschenkenden Liebe reicht, obgleich es »das Neue, das Christus bringt«, darstellt[7], gewiß allein für den Vollzug einer christlichen Lebensform nicht aus, es bedarf weiterer Spezifizierungen; aber es ist dennoch die erste Aussage, wenn vom sittlichen Verhalten des Christen gesprochen wird. Dadurch wird eine Hierarchie der Tugenden gegeben, dadurch werden Maßstäbe der Bewertung angedeutet, dadurch wird der Bereich der Geschlechtlichkeit eingeordnet und untergeordnet, dadurch wird vor allem ein »Klima« der Sittlichkeit geschaffen, das von Freude und Freiheit erfüllt ist[8].

Nach diesen Vorbemerkungen soll den folgenden Ausführungen eine These vorausgesetzt werden:

> In einer Sexualmoral des vorehelichen Lebens ergibt sich für den jungen Menschen die Hauptnorm: Einübung in partnerschaftliches Verhalten. Aus ihr folgen diese Leitlinien: den altersbedingten Narzißmus auf Liebesfähigkeit hin überwinden; die freundschaftliche Beziehung der Einübung personaler Begegnung wegen suchen; jede Intimität unter den Maßstab der Verantwortung für den Partner in Liebe wie unter den Maßstab der »Liebe zum Nächsten« (Mt 25, 40) stellen.

Schon der Begriff des vorehelichen Lebens impliziert die Ehe, die für den Menschen als Institution, für den Christen als Sakrament die gültige Verwirklichungsform der Sexualität darstellt und – objektiv gesehen – den einzigen Raum für die Begegnung der Geschlechter im totalen Akt der Liebe abgibt. Dieses voreheliche Leben darf nicht nur zeitlich, sondern muß vor allem funktional als vor-ehelich verstanden werden. Damit gewinnt die vor-eheliche Zeit als Einübung der Partnerschaft eine nicht zu unterschätzende Bedeutung im Hinblick auf die künftige Ehe. Alles, was im Hinblick auf die Anpassung der Partner und damit das Glück in der Ehe nützt (nach dem vorurteilsfreien Aufweis der modernen Anthropologie, der Soziologie und Psychologie), ist funktional, alles übrige ist »disfunktional« und daher »nicht in Ordnung«, also jenseits jener Tugend, die man »Sachlichkeit« nennen könnte; denn »wir handeln gegen unser eigenes Wohl« – und damit gegen Gott[9]. Partnerschaftlichkeit und ihre Einübung wird damit zur vorzüglichen, weil personalen Norm des vorehelichen Lebens. Aus dieser Hauptnorm folgen einzelne Leitlinien, die im Hinblick auf diese Partnerschaftlichkeit – zumal als Ausprägung christlicher Liebe – konzipiert sind.

1. Die Überwindung des altersbedingten Narzißmus auf Liebesfähigkeit hin

Im Jugendalter kommt es nach der Latenzperiode zu einer Neuentdeckung des Leibes. Daher liegt es nahe, daß der junge Mensch bei sich und seinem Leib bleibt, an und mit sich Erfahrungen sammelt, sich sozusagen in sich selbst verliebt. Der Vorgang ist ganz natürlich; er darf nicht – wie üblich – verdächtigt, sondern muß positiv gewertet werden, zumal in unserer Zeit, die ein gesteigertes Leib- und Lustempfinden entwickelt hat, selbst wenn im Verlauf der Reife die Ich-bezogenheit auf die Du-findung hin überschritten werden muß.

In diesem Zusammenhang wäre das Problem der Masturbation zu besprechen. Wie die Sexualstatistik aufweist[10], masturbieren fast alle Jungen und – verglichen mit früher – eine größere Zahl von Mädchen. Diese Tatsache wird in der gesteigerten Sexualisierung der Öffentlichkeit, der sexuellen Frühreife, der Diastase zwischen Akzeleration und Retardation ihren Grund finden. Nun kann man sicher nicht sagen, die Masturbation sei einfachhin und gleichberechtigt eine gültige Form sexuellen Verhaltens, wird doch die bipersonale Struktur der Geschlechtlichkeit vernachlässigt, fehlt ihr doch im konkreten Erlebnis der Bezugspartner, es sei denn, er wird wenigstens in der Phantasie substituiert. Nach den psychologischen Darlegungen von A. Alsteens[11] trifft es zu, daß die Masturbation durch Begleitphantasien einerseits auf einen heterosexuellen Partner geöffnet wird – und deshalb als Einübung in Partnerschaft gewertet werden könnte –, daß sie aber andererseits mit inzestuösen Phantasien verbunden zu sein scheint, die den Jugendlichen an Vater bzw. Mutter binden (Ödipuskomplex). In dieser

Ambivalenz gründet die Bewertung dieses sexuellen Verhaltens. Es ist nicht ausgeschlossen, daß auch in dieser doppelsinnigen Erfahrung (einmal abgesehen von jeder religiösen Indoktrination über die Sündhaftigkeit des Tuns, wie dies früher der Fall war) der Ursprung von »Schuldgefühlen" liegt[12].

Nicht nur aus diesen psychologischen, sondern auch aus anthropologischen Gründen (der nicht realisierten Bisexualität) muß man diesen Akt als unvollkommen und daher ungeordnet bezeichnen. Treffend wäre die Masturbation ein verunglückter Versuch der Integration der Sexualität zu nennen. Nun kann dieser Akt, der deutlich alle Zeichen der Desintegration an sich trägt, relativ harmlos sein, wenn das Ganze des Lebens offen ist auf jene Integration hin, die der vollkommene Akt in sich erfordert.

Wie wäre die Masturbation moraltheologisch zu beurteilen? Abgesehen von der Tatsache, daß schon wegen der durchweg vorhandenen Beeinträchtigung der Freiheit (Notonanie) meist nicht von einer subjektiv schweren Sünde die Rede sein kann, kann man auch »objektiv« nicht sagen, daß jeder »einzelne Mißbrauch der Geschlechtskraft« in sich (schwer) sündhaft sei. Die überkommene Bewertung der Masturbation beruht auf einem Fehlverständnis der physiologischen Natur der geschlechtlichen Vorgänge, auf einer Reduktion des sittlichen Aktes auf eine biologisch verstandene Natur, auf einer nicht das Lebensganze überschauenden Aktmoral, endlich auf einer Abwertung des Lustempfindens überhaupt[13]. Diese einzelnen Gründe für die übliche Einschätzung der Masturbation sind sehr fragwürdig. Die Unordnung des Verhaltens wird m. E. dort (schwer) sündhaft, wo ein junger Mensch sich durch eine exzessive Masturbation auf sich, seinen Leib und seine Lust so fixiert, daß seine partnerbezogene Liebesfähigkeit überhaupt umfunktioniert wird. Durch dieses fortgesetzte Tun wäre der Sinn der Geschlechtlichkeit in Partnerschaft überhaupt in Frage gestellt. Bei dieser Überlegung wird der Fall einer exzessiven Masturbation unterstellt, der nach dem Urteil des Psychotherapeuten einen krankhaften Zustand ausmacht und damit nicht sündhaft sein kann[14]. Ob es im Übergang zu diesem Zustand ein Moment letzter Freiheit (als Akt der Selbstverfügung) gibt, das »sündhaft« ist, wirft sich als schwierige Frage auf. Vom medizinischen Standpunkt aus kann man auf jeden Fall die Masturbation nicht als schädlich bezeichnen, es sei denn die introjizierten Schuldgefühle führen zu psychischen Schäden (etwa Sexualneurosen) oder zu organisch-fixierten Mechanismen (etwa zu einer sexuellen Hypersensibilität)[15].

Die Tatsache, daß man die Masturbation als unvollkommenen Akt beschreibt, wird den jungen Menschen ermuntern, nach den Gründen dieser Unvollkommenheit zu fragen und die durch dieses Tun verminderte Selbstachtung zu überwinden[16]. Wie aus dem Schofield-Report zu entnehmen ist, hilft hierbei nur eine Hebung des gesamtmenschlichen Niveaus[17]. Wo moderne Sexualpädagogen davon sprechen, daß dieses Sexualverhalten »sinnvoll« (H. Kentler) sei, weil in ihm Leiberfahrungen gemacht würden, kann man ihnen insoweit zustimmen, als hier Empfindungen differenziert und der Leib als ganzes sensibilisiert wird; doch müßte man im gleichen Atemzug auch die Gefahr des Narzißmus, der Fixierung auf sich selbst erwähnen[18].

H. Kentler präzisiert in Distanzierung von extrem radikalen Standpunkten in *Sexualerziehung* seine Meinung, indem er über die Masturbation schreibt:

> »Zumindest in der ersten Zeit der Pubertät halte ich es unter diesen Umständen für durchaus akzeptabel, wenn Masturbation die einzige Quelle der Triebbefriedigung ist. Allerdings muß ihr das Odium der Ersatzbefriedigung genommen werden, und sie darf auch nicht als Mittel empfohlen werden, um voreheliche heterosexuelle Beziehungen zu verhindern. Vielmehr muß den jungen Leuten eine Anleitung gegeben werden, wie sie durch verschiedene masturbatorische Techniken die Sensation ihres Leibes und ihre sexuellen Reaktionen kennenlernen und sich damit befreunden können. Betont werden muß, daß das für Mädchen ebenso wie für Jungen gilt.[19]

Diese Hinweise, die der Gesamtkonzeption von H. Kentler

entsprechen[20], scheinen mir nur annehmbar, wenn man einerseits die Gefahr einer narzißtischen Fixierung wahrnimmt und wenn man andererseits richtig erkennt, daß der mit abwehrenden und negativen Gefühlen besetzte masturbatorische Vorgang viel eher eine Fixierung fördert als ein bejahter, mit Freude erfüllter Akt. Trotz allen Willens zu einer positiven Bewertung läßt es sich nicht leugnen, daß dennoch der Masturbation insgesamt der Charakter des Ungenügens anhängt[21]. Vermutlich wird die christliche Stellungnahme zur Masturbation, die sich im Moment zu einer positiveren Bewertung durchringt, erst dann geklärt werden können, wenn das Verhältnis des Christen zur Lust grundsätzlich aufgearbeitet ist. Hier fehlen leider noch die entsprechenden moralgeschichtlichen wie moraltheologischen (und auch psychologischen) Arbeiten, auf die man zurückgreifen muß, will man nicht eine forsche, aber unbeweisbare Behauptung von sich geben, mit der niemand auf die Dauer geholfen ist[22].

Die Integration der Sexualität sollte auch und gerade in der Jugendzeit versucht werden. Die Ratschläge, die bisher dazu gegeben wurden, wurden als »antisexuelle Propaganda«[23] abgewertet. Man muß aber fragen, ob diese alten oder ähnliche Ratschläge aufgrund der Ergebnisse des Schofield-Reports nicht doch ihren Wert behalten. M. Schofield stellte eben doch auch fest, daß ein nicht zu übersehender Zusammenhang zwischen geistigen Interessen, schulischem Engagement, Freude aus echter Leistung einerseits und allgemeiner »Konsumeinstellung« (bei Kaffee, Tabak, Alkohol und auch in Sachen Sexualität) andererseits besteht. Es sollte also durch eine Art Askese nicht ein »Willenstraining« durchgeführt werden, sondern allgemein die Sexualität in den Gesamtvollzug des jugendlichen Lebens eingeordnet werden, eben genau das erreicht werden, was der Begriff der Sublimation aussagt. Sublimation beabsichtigt nicht Verdrängung oder »Ablenkung« in rein negativer Manier, sondern eine Änderung der gesamten Antriebsstruktur (H. Schelsky)[24].

Wichtiger als eine penible Kasuistik von schwerer oder

leichter Sünde im sechsten Gebot scheint mir die Erziehung zu einem positiven Leibempfinden, zur Differenzierung der Leibgefühle, zur Auflösung der unheilvollen Assoziation von Leib, Liebe und Geschlecht zu Sünde, Schuld und schlechtem Gewissen. Die Gedankenverbindung zu Freude, Ehrfurcht und beglückender Partnerschaft sollte an die Stelle aller Leibfeindlichkeit treten.

2. Die freundschaftliche Beziehung als Einübung personaler Begegnung

Wenn etwas in unserer Zeit der Sexualtechnik immer mehr und ohne großes Aufsehen abhanden kommt, dann die Kultur der Zärtlichkeit, das „Aroma der Erotik", wie Th. W. Adorno einmal sagte[25]. Die Begegnung der Geschlechter erschöpft sich oft in unkultivierter Sexualität. Das weite, beglückende Vorfeld der letzten Intimität wird weder wahrgenommen noch gemeinsam durchwandert. Auch hier pflegt man große Strecken menschlicher Erfahrungen und Entwicklungen mit der epochalen Schnelligkeit und einer infantilen Ungeduld zu durcheilen.

Die Möglichkeiten für eine freundschaftliche Begegnung, angeboten in der Koinstruktion und Koedukation, in gemeinsamen Veranstaltungen in der Jugendarbeit, auf Parties, werden die hochgespielte Polarität zwischen den Geschlechtern mindern und die Voraussetzungen schaffen, daß gerade das junge Mädchen, jenseits aller Doppelmoral, auch zu seinem Recht auf Entfaltung, Selbstbestätigung und erotischer Erfahrung kommt. Der Wert der Freundschaft, des unbefangenen Miteinanderseins, der Aufmerksamkeit und Liebeswürdigkeit, der positiv verstandenen erotischen Empfindung und des Flirts sollte mehr durchdacht und in pädagogische Kategorien umgesetzt werden. Diese Art der Begegnung wird auch ihre Gefahren einschließen und viele junge Menschen in ihrem sexuellen Drang über das selbstgesetzte und vernünftige Maß hinwegführen. Trotzdem wird diese Einübung der Begegnung im Hinblick auf Partnerschaft mehr prägen als Sexualexperimente, etwa in

»Liebeszimmern in der Schule«[26]. Rücksichtnahme, Wohlwollen und heiterer Flirt sind wohl schwerer einzuüben als die intime Begegnung. Im Dienst einer Kultivierung wäre auch auf jene differenzierte Zeichenhaftigkeit aufmerksam zu machen, in der sich Liebe ausdrückt: im Wort wie im Schweigen, in der Gabe, im Geschenk, in der Geste, in der Gemeinsamkeit bei Sport und Spiel, im Theater und beim Konzert, in dieser und jener Zärtlichkeit. Eine kultivierte Erotik wird die Humanisierung des Sex ermöglichen und den »Sexodus« verhindern[27].

Es lohnt sich, die heutige Entdeckung des Leibes intensiver zu bedenken. Die Erfahrung des Leibes war schon immer für den Menschen eine zweideutige. Längst vor der christlichen Interpretation des Schattens in der Schöpfung durch die Erbsündenlehre gelang es dem Menschen kaum, einen ausgewogenen Standpunkt zwischen spiritualistischem Manichäismus und leibvergötterndem Hedonismus zu finden. Leibhaftigkeit – einerseits das Medium, das dem Menschen die Wirklichkeit und Gegenwärtigkeit dessen, was er ist, erfüllend und beglückend erleben läßt, anderseits jene Mauer, die die letzte Erfüllung des Selbstseins verstellt und verhindert[28] –, diese janusgesichtige Leibhaftigkeit, das Ich beseligend in der erotischen Ekstase, das Ich zerschmetternd im Tod, will so vom Christen angenommen und bejaht sein, daß auch für den Leib gilt: »Und alles Fleisch wird schauen Gottes Heil« (Lk 3, 6). Der Leib in seiner ganzen Zweideutigkeit ist erlöst. Hätte Christus nicht eine leibhafte Existenz angenommen, wäre der Leib nicht erlöst. So aber gilt das Wort Tertullians: »Caro salutis est cardo« – Der Leib ist die Angel des Heils[29].

Dieser Leib ist das Prinzip der Trennung[30]; denn die Materie trennt; er ist – wie etwa B. Welte leicht moralisierend beschreibt – der »Angelhaken der Versuchung«, weil wir unsere wollenden Vollzüge »in die blinde Triebhaftigkeit und Bedürftigkeit, die sich vom Leiblichen her geltend machen«, hineinreißen lassen, und »darin das Wesentliche unserer selbst untergehen« lassen, »das Licht der Freiheit und den ihm zugeordneten Adel, die ihm zugeordnete Freude«[31].

Dieser Leib ist der Anstoß zur Beschämung, weil der Mensch sich in ihm entfremdet, entstellt, entblößt und zugleich verdeckt vorkommt, bangend, daß seine Erwartung sich nicht erfüllt, daß das im Leib wortlos gegebene Versprechen uneinlösbar ist[32].

Wenn die heutige Jugend kaum um diese Problematik weiß und dennoch zu einer so großen Leibfreudigkeit findet, fragt man sich unwillkürlich, ob dieses positive Leibgefühl nicht etwa nur der helle Rest der verdrängten negativen Seite ist; fragt man sich, ob im Maß einer irrationalen Ungeistigkeit die Hinwendung zum Leibhaftigen wachse. Die Motive sind vorläufig unklar; das Faktum der Leibfreude besteht und ist erfreulich. Der Jugend kommt der Leib nicht mehr überflüssig vor; sie besitzt ihn, bewohnt ihn, erlebt ihn und möchte alle seine Möglichkeiten im »Experiment« ergreifen – von der sexuellen Ekstase bis zum Nirwanagefühl des Mescalinrausches.

Welcher ist der moraltheologische Aspekt einer Sexualerziehung in dieser Situation? Da der Mensch als Ganzer geschaffen und erlöst ist, kann es am Menschen keine partes inhonestae (unkeusche Teile) geben[33]. Unkeusch, d. h. ungeordnet, »unsachlich« ist allein die Einstellung des Menschen. Diese Aussage verurteilt jede Prüderie wie jede prostituierende sexuelle Demonstration. Prüderie verachtet den Leib in seinem positiven Wert, Exhibitionismus vergißt die dem Menschen als Person zukommende Intimsphäre. Diese – um ein herkömmliches Wort zu verwenden – »Schamhaftigkeit« ist nicht zuerst eine Frage, die den sexuellen Bereich betrifft, sondern vor allem die Gesamtexistenz des Menschen meint, der in seiner personalen Einmaligkeit, in seiner transzendentalen Bezogenheit, in seiner Intimität nur mit dem Begriff »Geheimnis« beschreibbar ist. Ist ein Mensch in seiner Grundhaltung »schamhaft«, d. h. ehrfürchtig, bewußt seines Geheimnischarakters, dann wird gewiß diese Haltung auch die Äußerung seiner Leiblichkeit betreffen[34]. Eine einseitige Fixierung des Begriffs »Schamhaftigkeit« auf den Leib und den Bereich des Geschlechtlichen sollte allmählich überwunden werden.

Hat ein Mensch sich in seiner Leibhaftigkeit, und zwar in der konkreten, und in seiner Geschlechtlichkeit angenommen (daß er sich dabei auch »gesehen« hat, ist selbstverständlich) – die Annahme seiner selbst ist gewiß eine große sexualpädagogische und moralische Aufgabe –, wird jene Unbefangenheit möglich, die in der Mitte zwischen scheuängstlicher Intimität und belangloser Entblößung das rechte Maß findet[35]. Es wäre dann vielleicht auch von dieser Unbefangenheit her die Fixierung Jugendlicher auf »unkeusche Blicke« und »Berührungen« überwindbar, Formulierungen, die oft mehr in Skrupelhaftigkeit stürzen als zur christlich geordneten Lebensmeisterung helfen.
Wegen dieses intensiven Leibgefühls stellt sich als großes Problem – wie schon anderswo gesagt wurde – das Problem der Lust. Meiner Meinung nach geht es dabei zuerst einmal um eine Phänomenologie des Leibgefühls und der Leibempfindung. Nicht jede Leibempfindung ist sexuell – und ferner: Es ist sehr darauf zu achten, ob die Wahrnehmung eines Leibgefühls nicht durch die Interpretationsschemata einer Zeit verfälscht wird. Erst als zweiter Schritt wird eine moraltheologische Wertung folgen können, die sich am Primat der Liebe und an der Kategorie der Partnerschaft, in der der geordnete Selbstbesitz aufgenommen ist, auszurichten hätte. Egoistische Liebesspiele widersprechen sowohl dem Primat der Liebe wie der Prävalenz der Partnerschaft; denn sie werten den Partner zum sachhaften Objekt einer eigensinnigen Befriedigung ab. Zärtlichkeit allerdings – mit Erfahrungen der Leiblichkeit – könnte beiden Forderungen gut entsprechen[36].
Noch einmal soll ausführlich über Petting und Necking gesprochen werden, da sie immer mehr zu einer gültigen Form der intimen Zärtlichkeit werden. Man wird nicht bestreiten können, daß sich in ihnen Zärtlichkeit äußern kann, muß aber auch einräumen, daß sie ebenso nichts anderes als eine Steigerung der Vorlust beabsichtigen, daß sie Ersatz für den Koitus sind. Die Differenzierung der Leibempfindung, die Erweckung zur Wahrnehmung von Zärtlichkeit sind wertvoll, trotzdem darf man die Gefahr nicht

geringschätzen, die niemand anderer als M. Mead hervorgehoben hat, die darin besteht, daß sich in Amerika als Folge exzessiver Pettings und Neckings bei jungen Frauen Frigidität zeige:

> »Aus diesem Spiel, das immer wieder gespielt wird, manchmal ungefähr zehn Jahre lang vor der Ehe, ersteht das Bild des Ehelebens in Amerika, in dem die Frau den Charakter der Geschlechtsbeziehungen bestimmt. Daraus entspringt jene Unfähigkeit amerikanischer Frauen, sich sexuell vollständig hinzugeben ... Schon bevor das Mädchen reif genug ist, um auf die Warnungen seines eigenen Körpers zu reagieren, sieht es sich der Notwendigkeit gegenüber, das Gewissen für zwei zu sein und gleichzeitig heiter und gewandt ein Spiel zu spielen, das nie beendet wird und bei dem es jederzeit verlieren kann ... Aber es scheint wichtig zu sein, sich klarzumachen, daß junge Leute, je besser sie mit den schwierigen Problemen der Freiheit und der verlangten Dates fertig werden, desto schlechter darauf vorbereitet sind, den besonderen Kriterien der sexuellen Anpassung in der Ehe zu genügen.«[37]

H. Schelsky bezieht sich auf diese Aussage, wenn er sagt, wie in manchem anderen modernen Genußverhalten verschiebe sich auch hier das Risiko nur in das von den Beteiligten nicht mehr Übersehene und Unverstandene des weiteren Lebensschicksals[38].

Um abschließend noch einmal zu einer sittlichen Bewertung von Petting und Necking zu kommen: Es wäre selbstverständlich im einzelnen Fall zu fragen, um wen es sich bei solchen Liebesspielen handelt, ob es Verlobte, Partygäste oder gelangweilte Jugendliche sind, für die der Leib nur das letzte interessante Spielzeug ist. Ferner entscheidet bei jeder sittlichen Tat auch die Absicht des Tuns. Entsprechend der Skala von einer zärtlichen Geste der Liebe bis zur gegenseitigen Stimulation zum Orgasmus ist unter dieser Rücksicht eine sittliche Bewertung des Liebesspiels nötig[39].

3. Maßstab jeder Intimität: Verantwortung für den Partner in Liebe und die »Liebe zum Nächsten« (Mt 25. 40).

Es besteht aufgrund eines zeitgemäßen Konformismus bzw. eines christlichen Minderwertigkeitskomplexes die Gefahr, beim Thema »voreheliches Leben« sofort zu unterstellen, voreheliche Enthaltsamkeit sei nur eine repressive Norm, gebe für junge Menschen keine erstrebenswerte Zielvorstellung ab, sei eine veraltete Forderung für die Menschen einer weithin durch die Agrarstruktur bestimmten statischen Gesellschaft, obgleich doch eine rechte Einschätzung der Monogamie wie des sittlichen Anspruchs christlicher Liebe auf ein solches Ideal neues Licht werfen müßte. Hans Giese äußerte sich vor Jahren zum Problem empfängnisverhütender Mittel im vorehelichen Bereich und sagte dabei:

> » . . . selbstverständlich ist die Enthaltsamkeit noch immer die beste und sicherste der Methoden. Aber das Beste ist zugleich auch immer das Ausgefallenste. Der Durchschnitt tut nicht das Beste, sondern irgend etwas Durchschnittliches.«[40]

Diese Motivation für die Enthaltsamkeit scheint mir gewiß ein Elitebewußtsein zu schaffen, zugleich aber – aufgrund des Zusammenhangs – zu sehr mit der Angst vor dem Kinde zu argumentieren. Unbestreitbar wird diese Verantwortung (auch nach A. Comforts zweitem Gebot) zu einem Zeichen der Liebe. Personalere Motivationen eines »vorehelichen Anstandes« (E. Ell) könnten sein der »Respekt vor der Freiheit der Hingabe . . ., Ritterlichkeit gegenüber dem Partner«[41]. Man muß hinzufügen: Vor der Ehe befindet sich jede Liebesbeziehung noch im Stadium der Erprobung, sie ist – schier notwendig – gefährdet. Distanz schenkt also jene Freiheit, die zum Wesen der Liebe gehört, die erst ein eindeutiges Ja ermöglicht. Durch verfrühte Intimitäten werden oft emotionale Bindungen geschaffen, die weder durch den Verstand noch durch den Willen abzubauen sind und dann – trotz der inzwischen eingetretenen Entfremdung zwischen den Partnern – den Abschluß einer Ehe fordern. Enthaltsamkeit vor der Ehe bringt eine Freiheit mit sich, die den Akt der Bindung in seiner Tiefe erst eröffnet und die Pflicht zu gegenseitiger Treue bewußt übernehmen läßt. Daß ein junger Mensch aber fähig ist, sich zu binden und treu zu sein, dürfte als ein gutes Ziel vorehelicher Einübung gelten. Im übrigen ist auch H. Kentler – trotz seines divergierenden Ansatzpunktes – der Meinung:

> »Ich halte es aber für falsch, daraus zu schließen, die Sexualerziehung bleibe so lange repressiv, als sie nicht ihre Hauptaufgabe darin sieht, die Heranwachsenden möglichst frühzeitig zum Koitus hinzuführen.«[42]

Wie die Revision der Mutmaßungen und Vorurteile (Kapitel I) ergab, rechtfertigt die Häufigkeit des vorehelichen Verkehrs unter Jugendlichen und jungen Erwachsenen das Prädikat »freizügig« und muß die sittliche Einschätzung dieses Verhaltens – gewiß auch in Abhängigkeit von Beruf, sozialer Schichtung und religiösem Engagement – als »liberal« bezeichnet werden. Das pure Faktum erlaubt keine gültige Beurteilung des Verhaltens. Man muß den Motiven des Verhaltens nachgehen, die Einstellungen entdecken, um das Verhalten beurteilen und einordnen zu können. Der Schofield-Report berichtet, daß auf die Frage nach den Motiven ihrer ersten intimen Begegnung die Jugendlichen antworteten: sexuelles Verlangen 62% der Jungen gegenüber 10% der Mädchen, Liebe 10% zu 42%, Neugierde 25% zu 13%, Alkoholeinfluß 3% zu 9%[43]. Deutsche Studenten ließen sich auch durch sehr unpersönliche Motive zum ersten vorehelichen Verkehr bestimmen: Prestigesucht 3% der Studenten gegenüber 1% der Studentinnen, Verführung 4% zu 8%, Situation (Party, Alkoholeinfluß usw.) 10% zu 4%, Neugier 16% zu 13%, Trieb 26% zu 3%, Liebesbeziehung 41% zu 70%[44]. Ohne Zweifel rechtfertigen die meisten dieser Beweggründe keine intime Begegnung. Der unbewußte Imperativ »Es drängt mich« ist keine moralische Kategorie, zumal in ihm der Partner in seiner Personalität überhaupt nicht wahr und ernst genommen werden kann. Ratschläge, die sich für Sympathiesex und für Intimsex »freundschaftshalber« (Kr. Ahlmark-Michanek) einsetzen, lassen die Verantwortung für den Nächsten vermissen bzw. verstärken den sogenannten »Egoismus zu zweien«, der ja nichts mit Liebe zu tun hat, falls sie nicht – von hedonistischen Impulsen bewegt – überhaupt für Intimitäten zwischen auswechselbaren Typen der Geschlechter plädieren.

Solange man den vorehelichen Verkehr im Hinblick auf die künftige Ehe sieht und ihm dabei eine positive Funktion beimißt, müßte dieser im Eheglück und in der ehelichen Treue an den Tag kommen. Neuere Untersuchungen, die der Bedeutung von vorehelichen Beziehungen für die allgemeine eheliche Anpassung nachgingen, erlauben zu diesem recht schwierigen Problem ein vorläufiges Urteil. Es lautet: Das Vorkommen vorehelicher Beziehungen mit anderen Partnern als dem späteren Gatten korreliert leicht negativ mit der ehelichen Anpassung. Voreheliche Beziehungen, die sich auf den späteren Ehepartner beschränken, zeitigen keine Auswirkungen in der späteren Ehe. Hans Giese kommentiert diesen Tatbestand mit den Worten: »Damit ist die Wahrscheinlichkeit zu ›glücklichen Ehen‹ bei Paaren ohne voreheliche Beziehungen zu anderen Partnern etwas erhöht.«[45] Allerdings fügt er beschwichtigend bei, eine einfache kausale Erklärung sei nicht möglich, etwa in der Art: voreheliche Beziehungen bedingten geringes »Eheglück«. Seiner Meinung nach fördere der Einfluß dritter Faktoren sowohl die eheliche Anpassung wie die voreheliche Enthaltsamkeit. »Dritte Faktoren« führt auch R. R. Bell in seinem Buch *Voreheliche Sexualität* an, wenn er ansetzt, den statistisch festgestellten Zusammenhang zwischen vorehelicher und außerehelicher Sexualität zu erklären, den die Ergebnisse der Untersuchung von A. C. Kinsey aufwiesen. Voreheliche Schwangerschaften aber, die eine erhöhte Scheidungsquote – vor allem in Ländern mit restriktiven Einstellungen zur vorehelichen Sexualität – mit sich bringen, lassen nur vermuten, dies sei in der allgemeinen Qualifikation der vorehelichen Sexualität in einer konservativen Gesellschaft begründet[46].

Es sind nicht zuletzt diese statistischen Ergebnisse, die die übliche Bausch-und-Bogen-Verurteilung des vorehelichen Verkehrs als fragwürdig erscheinen lassen und zu einer nuancierteren Bewertung des Tatbestandes »vorehelicher Verkehr« zwingen. Vorehelicher Verkehr kann sein: psychosexuelle, »hygienische«, triebbestimmte Abreaktion – auf einer Party, beim Besuch eines Bordells, in einem »Zeltlager«, als Amore während des Urlaubs –, kann sein eine glaubhafte und liebende Begegnung von Verlobten. Während erstere Arten von »Begegnung« nur zur Abfuhr einer primitiven, ichbezogenen Lust beitragen, vollziehen die Verlobten in ihrer Begegnung zumindest den Imperativ der Liebe und des Respekts vor dem Partner.

Die moraltheologische Qualifikation ruht auf dieser Feststellung. Ersteres muß einfach als sittliche Unordnung im Sexuellen angesehen und deshalb – zumindest objektiv – als Sünde bezeichnet werden (der Nächste wird mir zur Sache!); der Mangel des Tuns im Beispiel der Verlobten (unterstellt man, diese beiden Verlobten besäßen den Willen zur Ehe = affectus maritalis) scheint mir darin zu liegen, daß dem Akt die Anerkennung von seiten der Gesellschaft abgeht und er deshalb unvollkommen ist. Es wird gleichsam die soziale Seite der Liebe unterschlagen, ihr Öffentlichkeitscharakter gestrichen. Selbst wenn in dieser Bewertung eingeschlossen ist, daß es sich in einem solchen vorehelichen Verkehr nicht mehr um eine schwere Sünde gegen das sechste Gebot (peccatum contra sextum sensu stricto) handelt, ist nicht ausgeschlossen, daß dennoch eine Verfehlung gegen die soziale Ordnung und damit gegen die Sicherheit und Sicherung der Liebe gegeben ist. In diesem Zusammenhang könnte man folgende Überlegung anstellen: Es gibt beim Eheabschluß entschuldigende Gründe für die Formpflicht, keinesfalls aber für den Ehewillen; ähnlich könnte es auch im vorehelichen Bereich wichtige, entschuldigende Gründe (lange Ausbildungszeit, finanzielle Schwierigkeiten, Bedenken von seiten der Eltern) geben, so daß die eheliche Begegnung ohne vorherige Heirat rechtens vollzogen würde[47].

Aus einem anderen Grund stellt sich das gleiche Problem:

In einer statischen Gesellschaft früherer Zeiten war der Eheabschluß ein einmaliger Akt, heute zieht sich dieser Eheabschluß als ein Prozeß über längere Zeit hin. Junge Menschen entdecken sich, wachsen in ihrer Liebesbeziehung zueinander, vertiefen das Gefühl und die Wirklichkeit der Gemeinschaft – mit Einschluß der sexuellen Intimität, die sie als Beglaubigung ihrer Gemeinsamkeit voreinander einschätzen –, und dann erst entschließen sie sich – wenn die Wohnung und die Finanzierung des gemeinsamen Lebens gesichert sind – die gesellschaftliche Anerkennung für ihre »Vorehe« in der Heirat zu suchen. Bei einer solchen vorehelichen Intimität liegt eine persönliche Übereinstimmung (consensus) vor, die den intimen Augenblick überschreitet, die das Leben plant und umgreift. Somit muß man sagen: Mit dem Vollzug ist der Sache nach schon eine Ehe gesetzt. Es fängt offensichtlich eine »Geschichte« an, die auf der Ebene der Ehe liegt. Es kann sich ergeben, daß die Verlobten aus ernsten Gründen nicht heiraten können. Für diese entnimmt F. Böckle[48] aus dem kirchlichen Gesetzbuch CIC (Can. 1098) die Möglichkeit einer Noteheschließung, d. h. im geheimen vor zwei Zeugen. Eine Noteheschließung hätte damit die gleichen Konsequenzen einer gültigen sakramentalen Bindung wie die oben als Lösungsversuch angedeutete »Vorehe«. Die Studientagung des Ökumenischen Rates im Juli 1964 in Founex[49] sah eine Lösung dieses schwierigen Problems in der gleichen Richtung. Sie sagte übrigens, die Voraussetzung für den Vollzug der ehelichen Gemeinschaft sei das „Gelübde", das „zu lebenslanger Treue und Hingabe verpflichtet«. Der offizielle Tagungsbericht wurde auch in deutscher Sprache vorgelegt. In ihm vermißte man allerdings den nicht unwichtigen Satz: »Sollte sich eine Trennung ergeben, so wäre das ebenso verhängnisvoll wie eine Ehescheidung.«

Die Ehe als einen solchen Prozeß zu sehen, bringt u. U. mehr Probleme, als sie Probleme löst, zumal man eine allgemeine (kirchen-)rechtliche Lösung kaum erwarten kann. Mit diesen (sakramentalen) Vorehen (aufgrund des alten bekannten Rechtsgrundsatzes: consensus facit nuptias) würde dann jener verwirrende Zustand klandestiner Ehen und deren innere Rechtsunsicherheit eintreten, den gerade das Konzil von Trient durch die Einführung der kirchlichen Formpflicht am 5. 9. 1563 aufheben wollte[50] – eben in einer Zeit, in der es eine »standesamtliche Trauung« noch nicht gab.

Manche halten die Jung- und Studentenehe für die zeitgemäße Lösung des Problems. Dann aber müßte erst einmal die bürgerliche Vorstellung, man schließe eine Ehe nur dann, wenn man eine »gesicherte Existenz« habe (was immer man darunter verstehen mag!), und das überall greifbare Mißtrauen gegen solche Ehen abgebaut werden. Es müßten zum anderen die finanziellen Startbedingungen (in Form von zinslosen Darlehen oder ähnlichem) vom Staat und/oder von den Kirchen für diese Ehen erleichtert werden; denn erwiesenermaßen tragen die finanzielle Unsicherheit, das Mitleben in einer der Herkunftsfamilien (Schwiegereltern!), das Problem der Unterbringung und der Erziehung der Kinder zu Streit, Zerwürfnissen und früher Scheidung bei[51].

Jetzt wartet die naheliegende Frage nach den Verhütungsmitteln auf eine Antwort. Man irrt wohl nicht, wenn man sagt: Die Verhütungsmittel scheinen heute das Zentrum der Sexualaufklärung auszumachen. Man sehe nur einmal im schwedischen *Sampsel*[52] nach, in dem sich 25 von 66 Seiten mit dieser Frage beschäftigen, oder man rufe sich das Wort von H. Kentler ins Gedächtnis, die Erfindung der Antibabypille sei »eine der größten Kulturleistungen der Menschheit«[53]; denn jetzt könne man Sexualität einüben, ohne pädagogisch unerwünschte Folgen befürchten zu müssen. Ohne Zweifel sind Verhütungsmittel dort ein Übel, wo ihre Folge statt Verantwortung Verantwortungslosigkeit ist, sich statt Liebe nur Sexualtechnik ergibt, wo sie statt einer integrierenden Funktion eine desintegrierende Funktion ausüben.

Die konkreten Lebenssituationen legen differenzierte moraltheologische Betrachtungen nahe. Es mag sein, daß junge Menschen – aus welchen Gründen auch immer – sitt-

lich haltlos geworden sind, daß Verlobte nach ernsthafter Prüfung ihrer Liebe und ihrer Lebenssituation den intimen Verkehr beginnen, ohne die Zeugung eines Kindes in Kauf nehmen zu wollen. Nach dem Prinzip des geringeren Übels wäre dann ein Verhütungsmittel erlaubt, ja man könnte noch weiter gehen: Wer in einer solchen Situation ein Verhütungsmittel nicht nehmen würde, wäre in extremer Weise lieblos. Das Problem, ob die Verhütung einer Empfängnis am besten die Antibabypille erfüllt oder eine andere Methode, muß die Medizin beantworten; denn sowohl die Frage der Unschädlichkeit der Pille als Medikament überhaupt wie auch für den Organismus eines Mädchens in den Reifejahren entzieht sich der Kompetenz eines Moraltheologen. Er kann nur wiederholen, daß man – nach dem Urteil von Frauenärzten – einem Mädchen vor der 50. Regel die Pille nicht geben und daß das Mädchen dieses Verhütungsmittel auch nur auf die Weisung und unter ständiger Kontrolle eines Arztes anwenden soll.
Kein verantwortlicher Pädagoge und kein Moraltheologe empfiehlt irgendeine Form der Promiskuität und des Sichauslebens. Die These der Sexualexperimente, der Schluckwassertheorie[54], des Sympathiesexes gehen von ideologischen Standpunkten aus, die nur allzu deutlich sind. Wenn man näher zusieht, erkennt man etwa ein biologistisches Menschenbild, eine ideologische Überschätzung der Libido und Unterschätzung der Freiheit wie der Sublimation[55], eine humanistische Reduktion der Sittlichkeit auf die Kurzformel: Seid nett zueinander![56]. A. Mitscherlich ist in diesem Zusammenhang der Meinung:

> »Kurz: je mehr und je früher direkte Sexualbefriedigung erreichbar ist, desto weniger Anreiz besteht zur Sozialisierung in sublimierten Lebenserfahrungen, in Ichstärkung, Selbstkontrolle. Die Retardierung der seelischen Reife wird demnach verstärkt.«[57]

In diesen Normen einer zeitgemäßen Sexualmoral wird wahrscheinlich mehr an Verzicht und Askese gefordert, als dem heutigen jungen Menschen aufs erste gefällt. Schnell wird er – unterstützt von einer nichtrepressiven Sexualpädagogik – mit dem Argument zur Hand sein: Die mit dieser Moral gegebene Frustration wirke neurotisierend auf den Menschen. Man kann nicht bestreiten, daß in solchen Beweisführungen sich die Angst vor der Sexualneurose als letzte sittliche Instanz aufspielt. Umgekehrt bleibt ungeklärt, ob nicht durch Exzesse im Sexuellen, durch Verwöhnung im Genuß der Lust, durch sexuelle Frühreife, durch fehlende Kritik und Protest einer gültigen Autorität oder einer glaubwürdigen moralischen Norm ein Mensch neurotisch wird, d. h. nicht mehr fähig ist, die Wirklichkeit seines Lebens zu bejahen. René Spitz[58] bejaht auf jeden Fall ein gewisses Maß an Verzicht in der Erziehung des Kindes, im Maß der Frustrationstoleranz. Allerdings muß dieser Verzicht durch eine spürbare Erfahrung von Liebe und Geborgenheit (von seiten der Eltern) aufgewogen werden. Mir scheint, eine solche Forderung gilt für das Leben des Menschen überhaupt.

Um die Probleme einer heutigen Sexualität zu bewältigen, ist eine Steigerung des Lebensanspruchs, eine Neuorientierung an einem humanen Ziel, die Entdeckung eines gültigen Lebenssinnes notwendig. Dieser kann nicht in einem unterschwelligen Hedonismus einer »neuen Moral« bestehen, die das Faktische als Norm setzt und damit den Menschen auf ein domestiziertes Sexualwesen, den Partner auf einen »sexuellen Funktionär« (H. Thielecke) reduziert. Die Sinnkrise unserer Zeit macht sich nirgendwo bedrückender bemerkbar als im Bereich der Begegnung der Geschlechter und in der Bewertung der Sexualität. Um so mehr Grund besteht, zu den letzten Ursprüngen des partnerschaftlichen Verhaltens zurückzukehren: zu jener Liebe, die auch im Geliebten einen »Nächsten« (Mt 25,40) erkennt. Ihn darf man nicht ausnützen, ihn muß man beschenken, ihn muß man achten und lieben. Diese christliche Mitmenschlichkeit ergibt sich nicht von selbst. Sie fordert, Eros, Philia und Sexus in jene gottgewirkte Agape zu integrieren, die dann die Freude aus der erfahrenen Harmonie des Lebens und der Begegnung wirkt. Daß hier die Gnade im Spiel ist, daß das Heil sich im Natürlichen verbirgt, ist nur dem Gläubigen bekannt und bewußt. Die Agape aber setzt die Natur voraus. Um so mehr Anlaß, die Erotik zu hüten, die Philia zu vertiefen und den Sexus zu kultivieren, damit sich in der Einheit aller die Agape verwirklichen kann. Von diesen letzten Motiven und Wirklichkeiten eines christlichen Lebens her Liebe, Begegnung und Ehe zu vollziehen, bedeutet, als Christ in seiner Liebe zu einer gesellschaftskritischen Instanz zu werden.

VIII. Tabu oder Intimsphäre?

In jenen sexualpädagogischen Unternehmungen, die sich aufgeklärt geben und vor allem gegen die angeblich unterdrückende, spätkapitalistische Gesellschaft zu Felde ziehen, nimmt der Begriff des »Tabus« als disqualifizierendes Schimpfwort eine zentrale Stelle ein. Das „Tabu« wird zum Ausbund alles dessen, was repressiv, was prüde, was kapitalistisch, was sexualfeindlich, was abzuschaffen ist. Selbstverständlich müssen solche Tabus als hinterwäldlerisch und veraltet bloßgestellt werden. Ganz gleich, ob der Begriff in der Ethnologie oder in der Psychoanalyse – etwa bei S. Freud in *Totem und Tabu*[1] – auch eine andere, umfassendere Bedeutung hat, heute ist der Begriff negativ besetzt: Er meint abzuschaffende Normen, Verhaltensweisen, Rede- und Denkstile. Selbst wenn die Antwort auf die Frage, ob eine Gesellschaft ohne Tabus auskommen könne[2], damit nicht präjudiziert werden soll, scheint es ratsam, den Begriff »Tabu« in diesem Zusammenhang aufzugeben und an die Stelle der mit ihm gemeinten Sache, insoweit sie ein Positivum enthält, das Wort »Intimsphäre« zu setzen. Diese Vokabel ist unbelastet, auch unbelasteter als das Wort »Schamhaftigkeit« – selbst wenn die drei Begriffe eine Wirklichkeit unter je verschiedenem Aspekt sehen und deshalb nicht voll identisch sind.

1. Erziehung ohne Scham und Tabu

Teilweise als Reaktion auf die Epoche der großen Prüderie[3], teilweise aus ideologischen Aprioris im Hinblick auf eine »repressionsfreie Gesellschaft« des Glücks gewinnt die Erziehung ohne Scham und Tabu innerhalb der Sexualerziehung an Bedeutung. Ziele und Methoden einiger sexualpädagogischer Richtungen sich zu Bewußtsein zu bringen, ist deshalb mehr als notwendig.

a: Emanzipierende Sexualerziehung

Ein pädagogischer Imperativ bei H. Kentler lautet: »Erziehung ohne Scham«[4]. Innerhalb dieses Programms kontrastiert H. Kentler eine repressive und eine repressionsfreie, eine sexualfeindliche und eine sexualfreundliche Sexualerziehung – und dies ganz auf dem Hintergrund der Thesen von W. Reich und H. Marcuse. Er schreibt in *Sexualerziehung:*

> »Indem die Heranwachsenden lernen, sich vor anderen zu schämen, sollen nicht nur sexuelle Beziehungen, sondern überhaupt jegliche Kommunikationsmöglichkeiten, die mit Sexualität zu tun haben, und seien es rein verbale, unterbunden werden. Die Heranwachsenden sollen sexuell einsam sein, damit sie der Autorität der Erwachsenen unterworfen bleiben und nicht etwa ihre sexuelle Entwicklung im Zusammensein mit Gleichaltrigen in eigener Regie übernehmen.«[5]

Er sieht dann den Sinn dieser Kommunikationssperre darin begründet, daß der Kontakt zur Gleichaltrigen-Gruppe gemindert, dadurch die Ablösung von Eltern und Familie verhindert und die altersgemäßen Techniken und Informationen zur Verarbeitung der sexuellen Erfahrungen und Erlebnisse nicht vermittelt werden. Er unterstellt, dieser repressiven Scham- und Sexualerziehung gehe es nicht darum, allein die verbale Kommunikation über sexuelle Fragen, sondern die sexuelle Befriedigung der Heranwachsenden schlechthin zu verhindern. Da sexuelle Befriedigung aber notwendig ist, erkennt H. Kentler im Gleichaltrigen den entsprechenden Sexualpartner des Jugendlichen. Er entlarvt dann die Begründung der Scham, wie sie etwa Max Scheler[6] bietet, als einen Versuch, eine ganz bestimmte Gesellschaftsordnung zu reproduzieren, nämlich jene, in der heterosexuelle Beziehungen mit gutem Gewissen nur in der monogamen Ehe erlaubt sind, und weist kurz und bündig folgende Zusammenhänge auf:

> »Schamerziehung, Unterdrückung der sexuellen Bedürfnisse, Sublimierung (im Sinne der Unterordnung unter die bestehenden Herrschaftsverhältnisse) bedingen einander.«[7]

Praktisch ist also die Schamerziehung auf die Institution der monogamen Ehe hingeordnet, deren Wert H. Kentler nicht mehr überzeugt. Man könnte nun vermuten, daß dort, wo antirepressive Sexualerziehung stattfindet, sexuelle Verwirrung und Verwilderung entstünden. Doch H. Kentler widerspricht dieser Befürchtung mit der Behauptung: Jede sexuelle Erfahrung – zuerst mit sich selbst und dann mit wechselnden Partnern – mache anspruchsvoll, so daß eine Unzufriedenheit im Jugendlichen entstünde, wenn das Sexualleben in bloßer Wiederholung orgiastischer Akte steckenbleibe. Er kommt dann zu diesem Schluß und deutet damit doch Steuerungsmechanismen einer »modernen« Scham an:

> »Der Schamlose und darum sexuell Erfahrene weiß, daß nicht die möglichst häufige und immer leicht zu erreichende Befriedigung sexueller Bedürfnisse, sondern nur die zielgehemmte, umwegig erreichte Befriedigung Lust bereitet, und darum ist er an der Gestaltung ›sublimer‹, kultivierter Sexualbeziehung interessiert.«[8]

Wie diese sich dann konkret zu vollziehen habe, wird allerdings nicht ausgeführt. Ebenso bleibt die Frage unbeantwortet, ob hiermit die Befriedigung von Lust nicht doch den letzten und unbestreitbaren Wert innerhalb dieser Sexualerziehung ausmacht.

b: Sexualpolitische Erziehung

Radikaler als bei H. Kentler kommt W. Reichs und H. Marcuses Ideologie in den Ansichten der neomarxistischen Linken zum Durchbruch. Ich beziehe mich in der folgenden Darstellung auf die »Thesen zur Sexualpolitik, Kampf gegen sexuelle Unterdrückung« von Hans W. Dräger, wie sie in *Blickpunkt, Zeitschrift des Landesjugendringes Berlin* (Mai 1970) zu lesen waren.

Die Sexualpolitik (Sexpol), als fester Bestandteil innerhalb der sozialistischen Bewegung, dient dem Kampf für eine sexuelle Befreiung, der sich nicht trennen kann »vom Kampf zur Beseitigung der bestehenden Herrschafts- und Produktionsverhältnisse«. Das kapitalistische Wirtschaftssystem beutet den Menschen nicht nur sozial, sondern vor allem sexuell aus, unterdrückt ihn und manipuliert ihn[9].

Die These 6 in diesen »Thesen zur Sexualpolitik« lautet dann:

> »Sexualpolitische Arbeit hat immer einherzugehen mit dem Kampf gegen repressive Formen von Sexualbefriedigung.«

Zur Illustration von repressiver Befriedigung werden dann einzelne Beispiele gebracht – etwa diese:

> »Sexualität als isolierter Persönlichkeitsbereich. Sexualität existiert als hermetisch abgeriegelter Sonderbereich: als ›Intimität‹, ›Privatsache‹, ›Angelegenheit von zwei Menschen‹. Entsexualisiertes Verhalten in der Öffentlichkeit. Trennung von ›Sexualität‹, ›Liebe‹, ›Erotik‹ und ›Agape‹. Trennung zwischen Sexualität und Intellektualität usw.« oder:
>
> »Sexualität als Institution, als Gegenleistung oder soziales Druckmittel: Formalisierte Sexualbeziehungen, Sexualität ohne Spontaneität (z. B. Ehe, Zweierbeziehungen). Sexualität als Vertrag und als Kompensation: Ausnahmekontakte unter Heimlichtuerei und Angst vor Entdecktwerden ...«[10]

Was hier in thesi gefordert wird – und es sind wahrlich radikale Thesen, die sich ähnlich in den Forderungen des

AUSS finden –, wird in der sozialistischen Praxis ausgeführt. Beispiele dazu bieten die Berichte der *Kommune 2*[11], die antiautoritären Kinder- und Schülerläden und endlich die teilweise geplanten, teilweise verwirklichten sozialistischen Zeltlager[12], denen sich – zumindest in der pädagogischen Konzeption – die evangelischen Jugendferienwerke weithin bereits angeschlossen haben.

c: Sexualerziehung in sozialistischen Schülerläden

Weil – laut dem Rechenschaftsbericht der *Kommune 2*[13] – der Beitrag der Kommune zur Befreiung der Sexualität begrenzt ist und weil der Grund für diesen Mißerfolg in den bereits anerzogenen Liebeshemmungen der Genossen und Genossinnen, in der bisher geleisteten Sexualerziehung gesehen wird, haben die sozialistischen, antiautoritären Kinder- und Schülerläden[14] ihre sexualpolitischen Programme entworfen, um die »Liebesfähigkeit« in ihrem Sinne gleich von früher Kindheit an zu prägen.

In West-Berlin existiert u. a. der Schülerladen »Rote Freiheit«. Die Protokolle dieses Schülerladens wurden bekannt. Ein Text – unter dem Datum vom 1. 12. 1969 – stellt exemplarisch die dort geübte Sexualerziehung dar:

> ». . . Dann entstand anhand des Artikels ›Wie ich mir die Wochenendfahrt vorstelle‹ und insbesondere des Satzes, daß Jungen und Mädchen in einem Zimmer schlafen sollten, noch einmal eine längere Diskussion über Sexualität, weil sich nämlich einige Kinder mit der Vorstellung, mit andersgeschlechtlichen Kindern in einem Zimmer schlafen zu sollen, ganz furchtbar zierten, es andererseits natürlich furchtbar aufregend fanden. Es kamen sofort Aussagen wie: ›Na, ausziehen kann man sich ja auf der Toilette‹ usw. Wir gingen grundsätzlich noch einmal auf die Problematik ein und meinten, daß es eine ganz beschissene Sache sei, wenn man sich so schämte und gleichzeitig neugierig nach derlei Dingen sei. Wir erzählten, daß das nicht schon ewig gewesen sei, sondern die Menschen erst im Laufe der Zeit dazu gebracht wurden, ihre natür-

lichen Bedürfnisse als schlimm zu empfinden und als Sauereien zu empfinden, und gingen auf die dabei führende Rolle der Kirche ein und schließlich den Staat, der sich die Vorarbeit der Kirche zunutze gemacht habe und die Menschen von beiden Instanzen unterdrückt würden, zum Zwecke besserer Ausbeutung. Die Kinder erzählten dann noch allerlei Anekdötchen über die Nonnen, Mönche und katholische Pfarrer, die sie einmal irgendwo gehört oder gelesen hatten, und alle amüsierten sich köstlich. Ich sagte dann abschließend: ›Na, für uns ist jedenfalls klar, daß wir mit diesem Unsinn, soweit wir es können, aufhören; d. h. daß wir, wenn wir zusammen wegfahren, auch in einem Zimmer schlafen.‹ Sie stimmten zu, aber es war klar, daß es zumindest einigen von ihnen ganz schöne Selbstüberwindung kosten würde. – Abschließend haben wir noch ein bißchen gespielt, mir fällt nur noch ›Stille Post‹ ein, wobei die meisten Wörter wieder sexuellen Inhalts waren, und haben zum Schluß nochmals das Schülerladenlied gesungen.«[15]

In diesen Protokollen, deren ideologischer Überbau übrigens im *Kursbuch 17*[16] nachgelesen werden kann, findet sich unter dem 14. 1. 1970 der Bericht über sexuelle Spielereien, über Pfänderspiele, die dann zu »Entkleidungsspielen« der Kinder ausarteten[17]. Wie sehr diese »Spiele« einen ideologischen Hintergrund haben und von einem sehr bestimmten »pädagogischen Eros« getragen sind, dürfte durch die Thesen der »Sexualpolitik« klargeworden sein.

e: Sexualerziehung in evangelischen Jugendlagern

Ähnliche Überlegungen einer repressionsfreien Sexualerziehung standen bei der Herbsttagung der Bundesarbeitsgemeinschaft Evangelischer Jugendferienwerke und der Evangelischen Jugendakademie Radevormwald vom 27. 10. bis 30. 10. 1969 zur Debatte. Nach Kurzreferaten von H. Kentler und Herrn Tennstedt (Berlin) stellte man fest, daß die evangelischen Jugendfreizeiten noch kein »sexualpädagogisches Übungsfeld« seien und man Dispositionsverbesserungen schaffen müsse. Als widersprechende Gegenpositionen tauchten manche Probleme auf – etwa die des Strafrechts (Kuppeleiparagraph) und des Elternrechts (Erziehungsanspruch). In einer abschließenden Resolution wurde gesagt: Sie – die evangelische Jugendarbeit –

> »muß eine Konzeption von einer repressionsarmen Erziehung entwickeln und in Modellmaßnahmen überprüfen können. Diese notwendigen Experimente sind durch die augenblickliche Gesetzgebung und die öffentliche Meinung mit einem zu hohen Risiko für die Pädagogen verbunden (das haben z. B. im Sommer 1969 einseitige Presseberichte über bestimmte Ferienlager gezeigt).«

Diese Resolution wurde verabschiedet, nachdem eine erste Fassung abgelehnt wurde, die lautete:

> »Leider sind diese notwendigen Experimente in der Öffentlichkeit mit einem zu hohen Risiko für die Pädagogen verbunden. Dies zeigt sich an der Disqualifizierung des Falkenlagers, dessen Ansatz wir befürworten.«[18]

Die Berichte über dieses Falkenlager, in dem eine gewisse sexuelle Freizügigkeit nicht zu übersehen war, sind aus einschlägigen Zeitungen bekannt[19].

2. *Intimsphäre und Freiheit*

Den folgenden Ausführungen sei diese These vorangesetzt: Die Intimsphäre gehört notwendig zum Menschen als dem Wesen der Freiheit; sie ermöglicht erst Liebe und menschliche Sexualität und schützt den Menschen vor der Manipulation.

Eine zentrale Aussage der personalen Anthropologie lautet: Der Mensch ist das Wesen der Freiheit, d. h. er ist sich selbst übergeben, er ist nicht an eine fixe Umwelt ausgeliefert, er ist nicht dem restlosen Einfluß eines Gemeinwesens überlassen, sondern er bestimmt über sich selbst. Undeterminiert und ungezwungen plant er sein Leben, steckt er den Raum seiner Existenz ab, gibt er seinem Leben im großen und ganzen jene Gestalt, die er für richtig hält und die er verwirklichen kann.

Wenn aber der Mensch in sich ein Freiheitswesen ist, dann muß er auch sein Verhältnis zum anderen Menschen frei bestimmen können. Deshalb muß er auch alles, was in seiner Verfügung steht und eine Realität für den anderen darstellt, diesem auch vorenthalten können. Das Wort, die Gebärde, das Eigentum, die Zuneigung, die Liebe, der Leib, die Sexualität – dies alles sind solche Realitäten.

Dieser Verfügungsbereich der Freiheit, den der Mensch haben muß, wenn er keine Marionette und kein Gefangener sein soll, konstituiert also jene Wirklichkeit, die wir »Intimsphäre« nennen. Nun wären wir schlecht beraten, wollten wir diese Intimsphäre einmal sofort sexuell bestimmen und wollten wir zum anderen sie als ein für allemal festgelegt, etwa als »natürlich« im Sinne des Unveränderlichen bezeichnen.

Die hier gemeinte Intimsphäre umfaßt alle jene Bereiche, die die Freiheitstat des Menschen ermöglichen, etwa ein nötiges Maß an Eigentum, das die Unabhängigkeit von anderen verbürgt, eine Sicherheit in einer persönlichen Lebenswahrheit, die die Individualität formt und prägt, eine Entscheidungsmöglichkeit gegen jede Manipulation in Widerspruch und Trotz – als Weise der Selbstbehauptung. Mit all diesen Möglichkeiten wird der Freiheitsraum des Menschen umschrieben, wird seine Freiheit und damit seine personale Existenz gesichert.

Intimsphäre ist dann natürlich auch der Leib, in dem sich der geistbegabte Mensch dem anderen sichtbar darstellt, sich »äußert«, und die Sexualität, die eine spezifische Weise der Interkommunikation ermöglicht. Besäße der Mensch hier nicht die Freiheit, über sich verfügen zu können, wäre Liebe unmöglich, wäre Sexualität ein ihn nötigender Trieb und nicht von der unfreien, instinktgebundenen Sexualität des Tieres zu unterscheiden. Da der Mensch aber nicht »festgestellt« (Fr. Nietzsche) ist, muß er frei sein, um so lieben zu können. Nur aus einem Raum der Freiheit heraus wird so etwas wie Begegnung der Geschlechter möglich, wird Freude und Glück – im Gegensatz zu lustloser Routine – gefunden.

Das andere, was notwendig zu dieser Intimsphäre zu sagen ist, lautet: Ist sie auch als grundsätzlich zum Wesen des Menschen gehörig erkannt, so ist sie doch variabel nach Lebensaltern, nach menschlichen Verwirklichungsgraden und nach den Eigenarten der geschichtlich sich ausformenden Kulturkreise. Die Intimsphäre eines Kindes unterscheidet sich gewiß von der eines Pubertierenden wie von der eines alten Menschen, zumindest in den Bereichen, in denen »Freiheit« erfahren wird und »Respekt« nötig ist. Ferner wird ein sensibler und kultivierter Mensch wohl einen Anspruch auf einen größeren Freiheitsraum erheben als etwa ein Hilfsschüler, um nur ein Beispiel zu nennen. Endlich ergeben sich aus der Höhe und Differenziertheit einer Kultur gewisse Bestimmungen über Inhalt, Weite und Tiefe und über spezielle Bereiche der Intimsphäre (M. Mead)[20]. In unserer heutigen Zeit, deren größte Gefahr die totale Manipulation darstellt, bedarf der Mensch dieser Intimsphäre. Dabei geht es nicht zuerst um den Einfluß eines totalitären Systems, sondern vor allem um den Einfluß von totalitären Medien, in Suggestionen von Standards, Slogans und in der Unterwerfung unter depersonalisierende Trends. Der Freiheitsraum des einzelnen erhebt sich wider die nivellierende und uniformierende Parole der Masse. Darin besteht gerade das Beängstigende der Utopien von G. Orwells »1984« und A. Huxleys »Schöne neue Welt«, daß die Intimräume beseitigt sind. Bei Orwell, weil »der große Bruder« alles überwacht, bei Huxley, weil die Droge des »Soma« jede Humanisierung unterbindet.

Aus diesen Überlegungen ergeben sich die Konsequenzen: Die Intimsphäre ermöglicht erst Liebe und menschliche Sexualität und schützt den Menschen vor der Manipulation.

Man muß sich ernstlich wundern, daß unsere Gesellschaft, die mit einem ungeheuren Pathos der Freiheit jeder Autorität, die sich aufspielt, widersteht, gerade dort die Freiheit unterschätzt, wo es um die Person und ihre intimsten Verwirklichungsweisen geht. Scham ist also eine Tugend der Freiheit, wenn man so will. Schamlosigkeit wäre – jenseits alles in ihr enthaltenen Konformismus oder Nonkonformismus – Einübung in jene Unfreiheit, in der sich der Mensch der ihn schützenden Distanz begibt und sich anonymen oder apersonalen Mächten ausliefert.

Wenn gesagt wird, daß die Intimsphäre erst Liebe und menschliche Sexualität möglich macht – nicht aufgrund des ambivalenten Tabus, das schützt und zugleich reizt (S. Freud)[21], sondern aufgrund der Freiheit –, so ergibt sich aus der Intimsphäre des einzelnen die Chance der Selbstpräsentation. Dann ist seine Darstellung als Mensch in seiner Leiblichkeit, in seiner Nacktheit eine Gabe und ein Geschenk, sozusagen ein Erweis von Vertrauen. Aus seiner Intimsphäre herauszutreten kommt also einer einladenden Geste gleich. Im Märchen der Brüder Grimm vom »Dornröschen« scheint mir deshalb mehr an Lebensweisheit enthalten zu sein als in M. Goldsteins und W. McBrides aufdringlichem *Lexikon der Sexualität*[21a]. Fr. Sieburg, der gewiß nich im Verdacht steht, ein manichäischer Kirchenvater zu sein, äußert sich in *Die Lust am Untergang* zu diesem Thema:

> »Entblößung bedeutet, solange die Welt gesund ist, eine Vorstufe der Hingabe, ja eine Aufforderung, diese Hingabe zu erwidern und ihrer würdig zu sein. Sie verliert, wenn die Welt krank ist, ihre natürliche Richtung und besagt, daß dies nackte Fleisch allen gehört, weil es sich niemand zu eigen geben will, weil es den Schauer verlernt oder nie gekannt hat.«[22]

In der einen, gemeinsamen Intimsphäre aber, die sich um zwei Liebende legt, eröffnet sich nicht nur der einmalige Raum des Spiels (als Weise heiterer Begegnung), sondern auch der eines tieferen Sinnes, einer einmaligen »Erkenntnis«, die ihren eigenen Geheimnischarakter besitzt. In diesem »Sinn« aber liegt das den Menschen vom Tier Unterscheidende.

Letztlich sagen demnach Tiefe und Breite der Intimsphäre etwas aus über den Grad der Humanisierung des Menschen, über seine personale Tiefe wie über seinen menschlichen Anspruch. Es kann also gut für uns Heutige die

Parole von Fr. Sieburg aufgenommen werden: Rettung durch Intimität[23]. Er begründet seinen Imperativ mit dem Satz: »Auch in der Erotik gibt es eine Humanität, oder sagen wir lieber, daß jene durch diese erst zur Liebe wird.«[24]
Damit wäre nur unterstrichen, was H. Giese gesagt hat: »Tabus gehören zur Sexualität wie das Ei zum Kuchen.«[25]
Ich gehe wohl nicht fehl in der Annahme, daß die hier beschriebene Intimsphäre gerade dem entspricht, was A. Mitscherlich in *Auf dem Weg zur vaterlosen Gesellschaft* ein »gelenktes Tabu« im Gegensatz zu einem »geahnten Tabu«[26] nennt. A. Mitscherlich bringt dann dieses Tabu in Zusammenhang zur »Toleranz«[27], und es leuchtet unmittelbar ein, wie sehr eine aus Freiheit entstandene Intimsphäre in Verbindung mit der Toleranz gesehen werden muß.
Ein Problem sei noch kurz gestreift: Früher waren die Intimräume nicht nur gesellschaftlich und rechtlich verbürgt – eine ganz entprivatisierte Gesellschaft hat es nach dem Aufweis der Ethnologen nie gegeben, und die Tatsache des »Tabus« ist ja gerade ein wenn auch magisch verbrämtes Indiz davon –, sie waren auch in sich stabil: etwa die Gemeinde, das Haus, die Sippe, die Familie. Heute sind diese Intimräume entweder soziologisch gänzlich beseitigt oder zumindest durch den Einfluß der Massenmedien aufgebrochen. Mehr als früher muß daher »Intimität« personalisiert werden, muß reflexer dazu erzogen werden, da die bergenden Räume abgebaut sind. Gewiß schützt auch heute der Staat die Intimsphäre seiner Bürger, indem er sie im Briefgeheimnis, im Hausfrieden, im Recht auf den Intimraum usw. zu einem Rechtsbereich erklärt. Diese institutionalisierten Formen der Intimsphäre sind in rechtlicher wie in moralischer Hinsicht ein Positivum – und haben wie alle Normen den Wert und die Gefahr einer »Institution«. Das Problem wie der Konflikt entstehen dort, wo einzelne Bürger absichtlich auf diese ihnen eingeräumten Rechte verzichten wollen – ohne Rücksicht auf die Gemeinschaft. Der heute sich andeutende Anarchismus unter der Jugend hat hier seinen soziologischen Ort. Aber darüber müßte anderswo gesprochen werden.

Kommen wir endlich zu einigen pädagogischen Konsequenzen aus unseren Überlegungen. Der Imperativ für die Sexualerziehung lautet: Entwicklung der eigenen Intimsphäre und Achtung vor der Intimsphäre des anderen. Es ist also die Empfindsamkeit des jungen Menschen für diesen Freiheitsraum der Intimsphäre zu wecken. Damit wird natürlich auch ein Existenzsinn vermittelt und die Sexualerziehung in die allgemeine Erziehung eingeordnet. Jede biologische Information, das detaillierte Sachwissen muß in den Rahmen einer Anthropologie eingeordnet werden. Deshalb halte ich den als »wertfrei« bezeichneten *Sexualkundeatlas* und das als »Alternative« angebotene *Lexikon der Sexualität* wohl für tabufrei, aber die Intimsphäre verletzend; denn beide helfen nicht, diese Information wertend einzuordnen, in das personale Gefüge des freien Menschen einzubringen.

Grundsätzlich wird hierbei vom Erzieher Respekt vor dem Freiheitsraum des jungen Menschen gefordert, in der Würdigung seiner Lebensreife wie seiner Aufnahmefähigkeit. Wo junge Menschen zu sexuellen Spielereien genötigt werden – wie in den antiautoritären Kinderläden –, verstößt dieses Verhalten gegen die wohlverstandene Intimsphäre des Kindes. Wo allerdings das nötige Wissen über die Sexualität in Wort, in Skizze, im Foto und im Film vermittelt wird, das dem jungen Menschen zu einem sach- und altersgemäßen Selbstverständnis verhilft, wird diese Sphäre nicht verletzt. Phasengemäßheit, pädagogischer Takt, Klugheit und Ehrfurcht vor der Freiheit des Kindes und Jugendlichen sind die in diesem Zusammenhang notwendigen, adäquaten pädagogischen Kategorien.

Wenn man sich nun an die bekannte Enttabuierung in Schule, in Lexiken, in Büchern, in Filmen erinnert, so machen gerade diese es schwer, die aus vergangener Zeit überkommende Prüderie abzubauen (vermutlich werden sie eine neue Prüderie provozieren) und an ihre Stelle den rettenden Respekt zu setzen. Wohl wissend um das Ziel, sollte man sich weder durch eine geistlose Prüderie noch durch einen antitabuistischen Nonkonformismus abschrekken lassen, die Sexualerziehung als Erziehung zur Intimität zu vollziehen, mit dem Anliegen, Grundwissen zu vermitteln, Grundhaltungen mitzugeben, im Rahmen eines Verständnisses vom Menschen, das ohne die Kategorie der Freiheit nicht auskommt[28].

IX. Sexualinformation oder ganzheitliche Erziehung?

Die Fülle der »Aufklärungsliteratur« vom *Sexualkundeatlas* bis zum *Lexikon der Sexualität* suggeriert, daß detaillierte, präzise Wissensvermittlung über biologische, anatomische, physische, psychische, juristische, verhaltenspsychologische und soziologische Tatsachen der Sexualität das A und O jeder Sexualerziehung ausmachten. Viele Kleinschriften für die Hand der Jugendlichen legen auf dieses möglichst konkrete Wissen den größten Wert. Wenn man die Erlasse einiger Kultusministerien zur Sexualerziehung, etwa von Berlin und Hessen, liest, muß man entdecken, daß sich geschlechtliche Erziehung in der Schule primär als intellektuelle Unterrichtung versteht. In den »Richtlinien für die Sexualerziehung in der Berliner Schule« (3. 8. 1962) wird dagegen richtig ein doppeltes Ziel genannt:

»1. Der heranwachsende Mensch soll das Geschlechtliche in seiner umfassenden Bedeutung für das Leben des einzelnen und der Gemeinschaft erkennen. Er soll lernen, die geschlechtlichen Triebkräfte in den Gesamtbereich seiner Person einzuordnen und damit im Hinblick auf das Geschlechtliche zur Triebbeherrschung, zur sittlichen Haltung und zum verantwortungsvollen Handeln gegenüber sich selbst, den anderen Menschen und der Nachkommenschaft erzogen werden.

2. Den Kindern und Jugendlichen soll das ihrem Alter und ihrer geistigen Reife entsprechende Wissen sachlich einwandfrei übermittelt werden.«[1]

Bei der Durchführung, bei den didaktischen und methodischen Hinweisen im Plan nimmt aber die einseitige Wissensvermittlung wiederum den Vorrang ein. In den »Richtlinien für die geschlechtliche Erziehung in den hessischen Schulen« (3. 1. 1967) liegen die Dinge nicht wesentlich anders. Fakten, die die Geschlechtsorgane von Mann und Frau, die Mutterschaft, die Vaterschaft usw. betreffen, sollen möglichst präzise und medizinisch genau dem jungen Menschen vorgelegt werden. Als didaktischer Ort wird der Biologieunterricht und die Menschenkunde benannt. Zuweilen findet sich in den Richtlinien ein Hinweis wie dieser: »Bei der Behandlung der Themen ist der seelisch-geistige Bezug herzustellen und der Wille zu mitmenschlicher Verantwortung zu wecken« (Berliner Richtlinien). Die Befürchtung, daß hier der Biologieunterricht überschätzt wird und falsche Bahnen der Assoziationen geschaffen werden, wird durch A. Beiler *Biologisches Sachwissen und Geschlechtserziehung* bestätigt. Auch A. Beiler lehnt die beherrschende Stellung der Biologie im sexualpädagogischen Bereich ab[2], versucht aber in den Vorbereitungsstunden zur geschlechtlichen Aufklärung dennoch beim Regenwurm anzusetzen[3], obgleich doch die dem Menschen eigene Geschlechtlichkeit »anders [ist] als bei Schmetterlingen«[4], um den Titel eines bekannten Aufklärungsbuches von M. Goldstein zu zitieren.

Bei einer solchen einseitigen Praxis werden folgende Probleme übersehen: Ist die Unterweisung über die sexuellen Fragen eine einseitige Information über physiologische Vorgänge, oder sollte sie nicht vielmehr eine auch emotional integrierte »Erziehung zum Mann- und Frausein« darstellen, wie etwa der *Neue Holländische Katechismus* ein treffliches Kapitel überschreibt[5]? Wird durch diese Überbetonung des Intellekts nicht eine keineswegs der Spontaneität zugute kommende Reflexion provoziert und gerade in eine Richtung gearbeitet, die schon immer die Sorge aller Erzieher war: die Austreibung des Gemüts, der Mangel an Phantasie, der »Konkretismus« (Th. W. Adorno)[6], der Verlust des Eros? Wird nicht von daher, weil die im Emotionalen aufruhende Wertbindung bei solchen Aussagen verloren ist, jene Sentimentalität gefördert, die sich gerade bei allem bewußten, personalen Anspruch im Unbewußten mit einer apersonalen Menschenverachtung verbindet und Ursache jener hilflosen Liebe ist, die man bei Jugendlichen feststellen muß? Hat nicht gerade Albert Wellek herausgearbeitet, wie sehr Gemüt und Gewissen korrelieren? Er sagt: »Gemüt trägt (oder fundiert) demnach Gewissen. Gewissen setzt Gemüt voraus.«[7] Wird durch eine einseitige Wissensvermittlung nicht gerade eine Wertorientierung unmöglich gemacht, vorausgesetzt, man versteht »Wertorientierung« nicht auch wieder als eine Art Unterweisung? Wird ein Lehrstoff nicht assoziativ aufgenommen, wie die Lernpsychologie feststellt, und muß dann nicht die Assoziation von Geschlechtlichkeit zum Biologieunterricht bleiben? Kann man den Menschen in Sektoren behandeln: hier seine Physiologie, dort seine Emotionalität, an dritter Stelle seine Soziabilität, endlich auch irgendwo noch die in Intellekt und Willen gründende Freiheit? Oder müßte nicht jeweils das Ganze, der eine und personale Mensch im Blick sein, selbst wenn Akzente in der Betrachtung gesetzt werden? Wäre hier nicht dem Memorandum der Deutschen Arbeitsgemeinschaft für Jugend- und Eheberatung (DAJEB) zur Frage der »Geschlechtererziehung« zuzustimmen, das sagt:

> »Eine recht verstandene Geschlechtererziehung hat auszugehen von der Tatsache, daß der Mensch von Anfang an als Mann und Frau determiniert ist und daß die Geschlechtlichkeit alle Dimensionen seiner menschlichen Natur umfaßt. Aufklärung und Information in der Geschlechtererziehung sind daher der pädagogischen Absicht untergeordnet, den Kindern und Jugendlichen bei der Reifung ihrer Geschlechtlichkeit als anthropologisch grundlegende Tatsache ihres Mann- und Frauseins zu helfen. Geschlechtererziehung ist somit notwendig in die Gesamterziehung einzubetten.«[8]

Man geht wohl allüberall forsch-fröhlich an die Aufgabe der Sexualerziehung heran, scheint sich aber mit den eben vorgebrachten Bedenken kaum auseinandergesetzt zu haben. Statt allzu schnell nach intellektueller Aufklärung zu rufen, sollte man das geistig-seelische Gefüge beachten, in das Wissen und Werte eingepaßt werden. Versachlichung fördert Sexualität als Konsumware, die man verbraucht[9], ermöglicht eine »sexuelle Betätigung« als physiologisches »Beruhigungsmittel«, nicht aber als Glück[10], erleichtert gerade jene Integration des Sexuellen in die Gesellschaft, in der Th. W. Adorno die »Neutralisierung des Sexus« erblickt. »Während der Sexus eingegliedert wurde, bleibt, was an ihm sich nicht eingliedern läßt, das sexuelle Aroma, der Gesellschaft verhaßt.«[11] Dieser Haß aber verursacht wiederum neue Sexualtabus, trotz oder wegen der durch die Neutralisierung möglichen Libertinage und Promiskuität.

Bei dem Versuch, einer im Emotionalen integrierten Erziehung gerecht zu werden, wäre es ratsam, einmal und zuerst die Eltern instand zu setzen, diese »Aufklärung« als pädagogisches Geleit ihren Kindern von Geburt an zu schenken, zum anderen aber allgemein die Jugendlichen in der Schule (nach Möglichkeit in Koedukativ-Klassen) in ihrer geschlechtlichen Eigenart ernst zu nehmen, als Mann und Frau anzusprechen und nicht insgesamt als quasineutrale Wesen.

Wenn im schulischen Raum mit einer großen Selbstverständlichkeit offen über alle Fragen um Liebe, Sexualität und Ehe gesprochen werden kann – bei jedem aus der Sache sich ergebendem Anlaß: etwa im Deutschunterricht, im Geschichtsunterricht, im Religionsunterricht, in der Sozialkunde, natürlich ebenso in Naturkunde und im Biologieunterricht –, wenn dadurch eine Atmosphäre der Offenheit und Unbefangenheit vorhanden ist, würde dadurch der verhängnisvolle Eindruck zerstört, es handle sich im Sexualunterricht um hochgespielte, höchst bedeutsame Aktionen. Es würde dadurch aber auch der Raum frei für den Vollzug der elterlichen Verantwortung primären Rechts im Erziehungsbereich (GG Art 6.). In ihrem unersetzbaren und gelebten Vorbild übermitteln sie jene Muster des Verhaltens, die über das Glück in Liebe, Ehe und Begegnung der Geschlechter entscheiden. Die Eltern ermöglichen dem jungen Menschen, die von der »Sache« her, d. h. vom Anspruch personaler Begegnung her, nötige Bindung, indem sie ihre Kinder die Bindung an Gott, die Gebundenheit zwischen Gatte und Gattin und die Verbundenheit zwischen Eltern und Kindern erfahren lassen[12].

Aufklärung hat seit jeher viel mit Rationalität zu tun. Wir meinen vorschnell, daß wir mit detaillierten Kenntnissen viel erreicht hätten. Vermutlich ist Sport, Gymnastik, Spiel, Tanz, Rhythmik für die Annahme des Leibes und die Darstellung der geschlechtsbestimmten Person wichtiger als das pure Wissen. Vermutlich sind seelische Vorgänge, Grundvollzüge des Humanen wie Staunen, Ergriffenheit, Bewunderung, Dankbarkeit, Ehrfurcht, Schweigen, Verantwortung, Empfinden von Schuld und Freude wichtiger im Rahmen einer Sexualerziehung als eine Demonstration am perfekten Modell des Menschen. Vermutlich ist das Erlebnis von Eltern, die sich in ihrer Ehe – trotz allen Leids und aller Mißverständnisse – partnerschaftlich gebunden wissen, entscheidender als ein Disput über Normen des sexuellen Verhaltens. Nichts gegen Rationalität und präzises Wissen. Wo sie das Gemüt austreiben, fördern sie nur jene Irrationalität, die sich allzu schnell in Aggressivität umsetzt und unberechenbar wird. W. Kretschmer bestätigt diese Ansichten, wenn er schreibt:

> »Die Jugend muß das Liebesdrama verstehen und nicht nur äußerliche Fakten wissen. Von daher erweist sich die angeblich nur ›sachliche‹ Aufklärung als Utopie, selbst da, wo sie psychologisch richtig dosiert und altersentsprechend angewandt wird. Naturwissenschaftliche Unterweisung allein fördert eine egozentrische, lieblose Haltung. Sie erleichtert das Geschlechtsleben, ohne es innerlich zu vertiefen.«[13]

Man kann nicht bestreiten, daß für eine neomarxistische Sexualerziehung weder die Familie als »Agentur« sexueller Verhaltensweisen und sittlicher Vorstellungen sich empfiehlt noch eine ganzmenschlich integrierte Sexualerziehung erwünscht ist, da sie ja mit der Etikette »romantische Liebesvorstellung« beklebt wird, da man zu leichtfertig die politische Relevanz der Sexualität übersieht. Selbst wenn man die ausgearbeiteten und sich wissenschaftlich gebenden Programme der Linken – trotz ihres Ideologieverdachts – nicht einfach als undemokratischen Versuch der Manipulation abtun will, selbst wenn man den Zusammenhang zwischen individueller Geschlechtlichkeit und sozialen Lebensformen mit gewissen Einschränkungen annimmt, bleibt ein beachtlicher Rest an Mißtrauen den neomarxistischen Ansprüchen gegenüber; denn ihre Argumentationen gehen von einer gnadenlosen Kritik am Bestehenden aus (wobei noch sexpolitische Begriffe als Vehikel der Kritik dienen) und von einer Sozialutopie, die nichts als Beweis hinter sich hat als den oft von großem Idealismus geprägten Fanatismus ihrer Vertreter. Dort aber, wo man das Recht der Eltern, den Raum der Familie in Frage stellt, wo man mit unbeschreiblicher Intoleranz eine sehr einseitige, mit Ideologie befrachtete Erziehung durchsetzen will, wird man aufmerken müssen, ob nicht in der Ferne die genagelten Stiefel eines anmarschierenden totalitären Systems zu hören sind, die viele Erwachsene leider noch allzu gut und allzu erschreckend in den Ohren haben.

Menschenbilder zwingen einerseits zur Entscheidung, fordern andererseits sich gegenseitig zur Kritik heraus. Je heftiger die Standpunkte aufeinanderprallen, um so besser. Ein sich als Toleranz gebender Indifferentismus fördert nur jene Unmündigkeit, als deren Wurzeln I. Kant »Feigheit und Faulheit« entdeckte.

X. Sexualerziehung in der Familie

Die Sexualerziehung stellte sich früher nicht so ausdrücklich als Problem. Entweder wurde sie von selbst innerhalb der Familie und Gemeinde vollzogen – zumal das »Kind« als solches noch gar nicht im Blickpunkt stand[1] –, oder sie wurde später, etwa ab der Zeit der Aufklärung, massiv und absichtlich verdrängt[2]. In einer Zeit der sexualisierten Öffentlichkeit und der allgemeinen Hochschätzung von Leib und Geschlechtlichkeit muß jeder Erzieher in der Sexualerziehung eine neue Aufgabe erkennen und in diesem über das Lebensglück des jungen Menschen mitentscheidenden Bereich das Rettende und Hilfreiche tun.
Die Sexualerziehung in der Familie wird vor allem deshalb zu einem Problem, weil die Eltern durchweg nicht auf die Aufgabe vorbereitet sind. Deshalb ergibt sich als erste Forderung: die Erziehung der Erzieher; denn – und hierin ist H. Kentler rundweg zuzustimmen –:

> »Sexualerziehung ist jener Erziehungsbereich, von dem jeder Erzieher unmittelbar selbst betroffen ist, der darum von ihm nicht nur Reflexion, sondern Revision seines Sexuallebens und damit Selbsterziehung verlangt.«[3]

1. Erziehung der Erzieher

Verglichen mit der Jugendzeit der Eltern fordert die neue und andersgeartete heutige Lebenssituation eine neue Antwort auf die alten Fragen nach Liebe und Geschlecht. Auf diese von ihnen erwarteten Antworten müssen die Eltern auf doppelte Weise vorbereitet werden: einmal durch die Reflexion und Revision ihrer eigenen Einstellungen zu Geschlecht, Liebe und Ehe, zum anderen aber durch die Vermittlung jener Einsichten in die Sexualität, wie sie vor allem durch Psychologie und Soziologie gewonnen wurden.
Die Reflexion über das eigene Verhältnis zu Sexualität, Liebe und Ehe hat deshalb dieses Gewicht, weil die meisten der heutigen Eltern noch eng und prüde erzogen wurden.

Eine statische Gesellschaft mit ihren starren bürgerlichen Normen und ihrer sozialen Kontrolle nahm vielen Menschen das Risiko der Freiheit und das Wagnis der Entscheidung ab. Solange man gehorchte, konnte nichts schiefgehen. Das Ergebnis dieser Erziehungsmethoden war weithin ein Mensch, der kein positives Verhältnis zu sich selbst in seiner Leiblichkeit und Geschlechtlichkeit besaß, der die patriarchalische Familienstruktur als einzig mögliche anerkannte, der die Gattin zu »Kinder, Küche, Kirche« abordnete, der die Frau noch nicht als gleichberechtigte ernst nahm. Infolgedessen konnte er auch keine unbefangenen Einstellungen in diesem Bereich weitergeben, zumal im emotional hochwertigen Raum der Familie mehr die emotionale Einstellung als die in Worte gebrachten Ratschläge erzieherisch wirken. Eine Mutter z. B., die sich als Frau nicht angenommen hat, die mit ihrer eigenen Sexualität hadert, wird unmittelbar ein ähnliches Verhalten ihrer Tochter mitgeben. Ist sie aber als Frau zufrieden und in ihrer Ehe glücklich, wird ihre Tochter die Ehe als eine der möglichen fraulichen Lebenserfüllungen anstreben und nicht jede Regung von Liebe und Leidenschaft von vornherein verdächtigen und verdrängen. Ein Vater, dem vom Erlebnis seines Vaters her die strenge Vaterautorität introjiziert wurde, wird große Schwierigkeiten haben – zumal bei einem hochgespielten Generationskonflikt –, spontan und unmittelbar das heutige Verhältnis des jungen Menschen zur Autorität zu bewältigen. Seine Jugenderfahrungen, die Verhaltensweisen seiner »Väterlichkeit« wird er sich deshalb objektivieren müssen, um einen Zugang zur veränderten Lebenssituation seines Sohnes zu finden[4].

Die Reflexion über das eigene Verhältnis zu Liebe, Sexualität und Ehe bringt eine Rationalität mit sich, die gewiß der in der Liebe nötigen Spontaneität schadet. Wenn in diesem Prozeß der »Rationalisierung« vielleicht auch eine gewisse Zeit der sexuell-partnerschaftlichen Unsicherheit durchgestanden werden muß, lohnt der Erfolg diese Mühe. Es wird eine Unbefangenheit und humorvolle Distanz sich selbst gegenüber gewonnen, man wird dem Bereich des

Sexuellen gelöst und heiter gegenüberstehen, soweit dies für den Menschen überhaupt möglich ist.
Je besser also die Eltern ihre Geschlechterrolle übernommen haben, je mehr sie auch ihrer Funktion als Mutter und Vater entsprechen, je glücklicher sie als Gattin und Gatte geworden sind, um so mehr sind sie vorbereitet, ihre Kinder auf ein ähnliches Glück in der Ehe durch Partnerschaft – und zwar in der heutigen Zeit – hinzuführen. Die partnerschaftliche Liebesfähigkeit, die – bei aller Ungeklärtheit der konkreten Gestalt zukünftiger Ehe – als Ziel der Sexualerziehung vor ihnen steht, läßt sich nur erreichen, wenn die Eltern ihre persönliche psychologische Situation geklärt haben, und der Raum der Ehe wie der Familie nicht durch Spannungen und Konflikte immer wieder überschattet wird.
Neben dieser Selbsterziehung fordert eine zeitgemäße Sexualerziehung eine gewisse Unterrichtung in jenen Grundkenntnissen, die die Forschungen von S. Freud, A. Freud, R. Spitz[5] erbrachten. Eltern sollten einiges gehört haben über die frühkindliche Sexualität, über kindliche Leibfreude und Lusterfahrung, über das Problem der kindlichen »Onanie«, über den »Ödipuskomplex«, über die Identifikation der Kinder mit der Vater- und Mutterrolle, über die Bedeutung der Reinlichkeitserziehung für die Leibannahme und für das Gehorsamsverständnis, über den Penisneid, über die Schamerziehung usw. Selbst wenn man die mit solchen Begriffen gegebenen Ideologien und Hypothesen nicht in jedem Fall übernehmen muß, helfen diese Begriffe doch, die eigenen Erfahrungen zu klären, so daß das Problembewußtsein im Erzieher wächst und auch der Erziehungsauftrag adäquater erfüllt werden kann. In Büchern und Schriften für die Hand der Eltern sind die Begriffe dargelegt[6]. Auch in Elternzeitschriften[7] werden immer wieder die wichtigsten Fakten der Sexual- und Kinderpsychologie entfaltet, die den Eltern zur Überprüfung ihrer Erziehungsgrundsätze dienen und dabei zugleich ihre persönliche Lebenssituation klären können.
Erst wenn Eltern – etwa durch Elternseminare, Eltern-

abende, Kreise für junge Eheleute, Brautkurse – gut vorbereitet sind (die Gruppendiskussion sollte dabei eine entscheidende Rolle spielen), können sie das Recht wahrnehmen, ihre eigenen Kinder in Geheimnis und Wirklichkeit von Geschlecht und Liebe einzuführen. Nicht widerstandslos sollten sie sich dieses Recht von der Schule und anderen Institutionen abnehmen lassen, die plötzlich eine beachtliche und beängstigende Verantwortlichkeit für jene entwickeln, die sie oft zuvor für »unmündig« erklärt haben. Gerade die Sexualerziehung enthält die Chance, die Verbundenheit von Eltern und Kindern zu vertiefen. Indem die Kinder bewußt und dankbar ihre Herkunft aus der Liebe der Eltern erkennen und annehmen, indem die Eltern von ihrer eigenen Lebensreife und ihrer gewiß auch leidvollen Entwicklung her ihre Kinder in das immer bleibende »Drama« der Liebe einführen, entstehen persönliche Bindungen, die nicht zu unterschätzen sind. Vermutlich werden diese Bindungen von manchen neomarxistischen Erziehern nur mit äußerstem Bedauern gesehen. Gerade diese Skepsis sollte die Eltern in der Erkenntnis bestärken, daß in diesem Erziehungsbereich wichtige Entscheidungen fallen, und sollte sie auch ermuntern, die verständliche Scheu vor Aufklärungsgesprächen zu überwinden, eine Scheu, die darin gründet, daß sie ihren Kindern oft zu nahe sind und weil jede sexualethische Auskunft zwangsläufig in die eigene Intimsphäre Einblick verschafft[8].

2. Grundprinzipien der Sexualerziehung in der Familie

Was als allgemeine Richtschnur für jede Sexualerziehung in jedem Erziehungsraum gilt, trifft auch für die Familie zu. Sexualerziehung muß in die Gesamterziehung integriert sein, muß eine begleitende Erziehung sein, d. h. sollte sich vom ersten Tag des Lebens an vollziehen und nicht so tun, als könnten einzelne Aktionen von Bedeutung eine lebenslange Einführung ersetzen. Daraus folgt, daß sie phasengemäß und den Altersstufen entsprechend vorzugehen hat, mit einer großen Sensibilität für die einzelnen Reifungsschritte, Verstehenshorizonte, Denkmodelle und Empfindungsqualitäten. Sie muß positiv sein, aufbauend, hinführend auf das Ziel, das einer Sexualerziehung gegeben ist: partnerschaftliche Liebesfähigkeit. Wäre sie abwehrend, negativ und nur defensiv, könnte sie keine beglückenden Einstellungen mitgeben. Endlich muß sie in der stets notwendigen Ermutigung bejahend sein; sie kann sich eine leibfeindliche, triebverachtende Attitüde nicht leisten[9]. Für die Sexualerziehung in der Familie sollen noch einige Grundsätze herausgehoben werden.

a: Die Einstellung der Eltern zu Geschlecht, Liebe und Ehe erzieht mehr als jedes Wort und jede Unterweisung. Die Familie ist das beste Exempel einer funktionalen Erziehung, d. h. einer Erziehung, in der Vorstellungen unreflex übernommen, Wertvorstellungen mitgegeben, Verhaltensweisen und Praktiken der Lebensbewältigung unbedacht eingeübt, ja eingeschliffen werden. Nicht ohne Grund wird die Familie eine entscheidende »Agentur« (Th. W. Adorno) in der Vermittlung von Normen, Werten und sittlichen Verhaltensweisen genannt. Eine leibfeindliche Einstellung der Eltern strahlt aus, sexuelle Unsicherheit wird unterschwellig vermittelt, das Leid einer nicht gleichberechtigten Gattin und das zweifelhafte Wohlbefinden eines »Pantoffelhelden« prägen negativ. Auch das Gegenteil tritt ein: Glück in der Ehe ermuntert den Jugendlichen, wie seine Eltern im sexuellen Leben, in Ehe und Familie ein großes Glück des Lebens zu suchen. Auch die bejahende Leibfreude wird sich unmittelbar auf die Kinder übertragen. Nun ergibt sich die pädagogische Aporie zwischen Sein und Wort, zwischen Wirklichkeit des Erziehers und pädagogischem Anspruch. Eine gewisse Differenz wird zwischen beiden immer bestehen bleiben – trotz besten Willens. Über die Glaubwürdigkeit vor sich selbst wie über die Erziehungsatmosphäre wird – so scheint mir – der stets erneuerte Wille entscheiden, die Differenz möglichst zu verringern, und das vor das eigene Gewissen und vor die Kinder gebrachte Eingeständnis, daß jeder Mensch versagt und vom Erbarmen der anderen lebt.

b: Die Annahme des Kindes in seiner Eigenart und in seinem Geschlecht von seiten der Eltern stellt die unabdingbare Voraussetzung jeder Erziehung dar, also auch der Sexualerziehung.

Manche Eltern erträumen sich ein ganz bestimmtes Kind, was Aussehen, Geschlecht und Temperament angeht, ja sie legen sich innerlich bis auf die Haarfarbe des Nachkommen fest. Leider tut die Natur den Eltern bislang nicht den Gefallen, sich nach diesen Träumen zu richten. Solche Illusionen geraten notwendig in Konflikt mit der Realität. Darunter muß der junge Mensch Schaden leiden, der dann erfährt: Ich werde nicht angenommen; meine Eltern erziehen eigentlich ein anderes Kind als mich; sie erziehen jenes Kind, das sie sich gewünscht und ausgemalt hatten. Natürlich wird dadurch das Kind in seinem Grundbefinden verunsichert; es gelingt ihm nicht, zur Identität mit sich zu finden, weil ihm selbst die Übernahme der zwiespältigen elterlichen Einschätzung nicht gelingen kann. Mag es für Eltern zuweilen auch schwer sein, ihr Kind in allen seinen Eigenheiten und Unarten anzunehmen, es nützt dem Kind und ihnen selbst nur dies: den jungen Menschen so zu nehmen, wie er gegeben ist, und ihn auf das Ziel hinzuführen, das man als Ziel des Menschen (im Glauben etwa) übernommen hat und das in seiner Verwirklichung aufgrund der Anlagen des Kindes und der allgemeinen Lebens- und Zeitsituation der Familie möglich ist. Falscher Ehrgeiz schadet nur, sagt man. Dieses Sprichwort trifft vor allem für diesen Bereich zu, indem die gefundene Identität erst den Hinweg zu einem lebenswerten Menschsein eröffnet[10].

c: Das Urvertrauen, das Vaterbild und die Bindungserfahrung spielen auch innerhalb der Sexualerziehung eine wichtige Rolle.

Das Urvertrauen, von dem E. H. Erikson[11] aufgrund seiner psychotherapeutischen Erfahrung berichtet, enthält die grundlegende Offenheit für anderes, für den anderen, für die Begegnung mit der Welt (und mit Gott). Es bringt den Mut mit sich, und zwar den optimistischen Mut, sich mit dem Fremden einzulassen und nicht introvertiert, mißtrauisch gegen Dinge und Menschen bei sich zu bleiben. Wollte man diese fundamentale Einstellung in eine Aussage fassen, so müßte man sagen: Das Urvertrauen vertraut, alles geht gut aus, die Welt ist gut, und die Menschen sind gut. Mag dieses Vertrauen für manchen resignierten Erwachsenen auch eine utopische Erwartung beinhalten, so kann dessen Resignation noch keine Instanz gegen das Urvertrauen sein, sondern beweist es im Gegenteil: Die Erfahrung seines Lebens dient als Rechtfertigung seines mangelnden Urvertrauens. Grundraster der Wahrnehmung und Muster des Verhaltens sind im Urvertrauen gegeben, das in unmittelbarer Beziehung zur Mutter, ihrer Zärtlichkeit und liebenden Zuwendung steht.

Das Erlebnis des Vaters machte schon immer eine wichtige Erfahrung des Menschen aus. Beispiele aus der Geschichte der Menschheit – etwa Martin Luther – belehren einen darüber. *Das Vaterbild der Tochter*[12], eine neuere psychologische Untersuchung, stellte diese Zusammenhänge und ihre Bedingungen speziell für den jungen Menschen von heute heraus. Das Vaterbild prägt den jungen Menschen in seinem Grundverhältnis zum Väterlichen, zur Autorität überhaupt – und natürlich auch zum väterlichen Gott[13]. Wer weiß, wie sehr der Vater über die Erwartungen an den Partner entscheidet, wie jede Begegnung etwa durch Angst blockiert, jede Selbstannahme auf eigene Verantwortung hin in Frage gestellt ist, wird zugeben, daß dem Vater im sexuellen Bereich eine wichtige Funktion zufällt. Dies betrifft nicht nur die Tochter, obgleich für sie der Vater in bestimmten Entwicklungsjahren schier unersetzlich ist; es gilt auch für den Sohn im Hinblick auf sein Verständnis als Mann, Partner, Gatte und Vater.

Das Bindungserlebnis, erfahren in der unlösbaren Zuwendung der Eltern zum Kind, in einer Bindung, die auch in einer Zeit der Unzufriedenheit, Belastung und Erprobung durchgehalten wird, macht dem jungen Menschen klar: Bindung hat etwas Befreiendes, Bejahendes an sich. Die Bindung bringt Freiheit und Freude mit sich. Gerade durch diese Erfahrung wird dann der junge Mensch frei, sich selbst zu binden, treu zu sein, die zeitweilige Last einer Bindung zu tragen und die Freude im Bund immer wieder neu zu erwarten. Für eine personale, partnerschaftliche Begegnung in Intimität und Liebe scheint die Fähigkeit, sich binden zu können und diese Bindung zu erleben, sehr wichtig.

Aus diesen kurzen Andeutungen läßt sich entnehmen, wie sehr diese drei Urdaten jeder Erziehung auf die Sexualerziehung sich auswirken und welchen Vorteil eine positive Erfahrung, welches Handicap eine negative Erfahrung für den jungen Menschen bedeutet.

d: Die Erziehung zur Freude am Leib und zur Dankbarkeit für Leib und Geschlechtlichkeit bereitet nicht nur eine große Unbefangenheit, sondern auch ein genießendes Glück in der geschlechtlichen Begegnung vor.

Die Tage der »Pfui-Erziehung« und einer Dressur zur Leibverachtung sind hoffentlich gezählt. Durch solche Erziehungsmaßnahmen geriet ein Kind in einen inneren Zwiespalt. Das erste, was es ergreifen konnte, war sein Leib und der Leib, die Brust der Mutter, die wohl am Anfang gar nicht hinreichend von der eigenen Leiblichkeit unterschieden wird, lebt doch das Kind mit der Mutter in einer »Dyade«. Erfuhr das Kind selbst seinen Leib als etwas Schönes, »Ergreifendes«, Bewundernswertes, so wurde ihm mit Rufen des Abscheus, mit Verboten und Strafen seine Freude verleidet und bestimmte Zonen seines Leibes tabuiert. Diese Erfahrungen machten es dem jungen Menschen schwer, sich in seiner Leiblichkeit und in seiner Geschlechtlichkeit anzunehmen. Ängstlichkeit, scheue Prüderie können sich aber nur negativ auswirken; denn sie dissoziieren bestimmte Persönlichkeitsschichten und Erfahrungen (im Leibe) und tragen damit zu einer großen personalen Verunsicherung bei.

In Überwindung einer solchen Erziehung wird gefordert, daß das Kind seinen Leib entdecken darf, daß dem Kind Zärtlichkeiten geschenkt werden (das Schmusen), daß es die Wärme des Leibes der Mutter erfährt (Hautkontakte)[14], daß es die Sprache zärtlicher Gesten buchstabieren lernt, daß es in eine Liebeskultur eingeübt wird, die es auch bei den Eltern wahrnimmt, daß in ihm ein Glücksempfinden in der Liebe zu den Dingen (Blumen, Tiere, Spielsachen usw.) geweckt wird[15].

Durch die altersspezifische Neugierde des Kindes und durch den Willen zum Greifen kommt auch Welterfahrung zustande, auch im Hinblick auf die eigene und fremde Geschlechtlichkeit. Die Unterstellung, ein solches Kind sei »verdorben«, mißversteht diesen Wissensdrang und weiß nichts von kindlicher Sexualität. Im Schauen auf den eigenen und fremden Leib, im Feststellen der Unterschiede der Geschlechter, im unbefangenen Mitdabeisein bei den Eltern – etwa im Bad – erfährt es, daß die Eltern »Geschlechtswesen« sind und kann sich mit ihnen identifizieren in ihrer je spezifischen Geschlechtlichkeit. Zwischen dieser Erkenntnis des nackten Menschen und einer exhibitionistischen Demonstration von seiten der Eltern besteht der Unterschied, daß im ersten Fall die Kinder entsprechend ihrem Reifegrad schauend erfahren und naiv feststellen, im anderen Fall Eltern durch ihre Nacktheit die Kinder gerade einschüchtern und erschrecken[16].

Die Freude am Leib wird auch vor Gott gebracht, indem das Kind im Gebet für seinen Leib und für seine Glieder, für sein Geschlecht dankt, dafür dankt, daß es ein Mädchen oder ein Junge ist. Sie kann ebenso zu jener »Feier der Reife« führen, wie sie I. Haas in *Heute ist es anders*[17] empfiehlt. Eine Mutter lädt ihre Tochter am Tag der ersten Menstruation, die für viele Mädchen doch etwas Überraschendes und Befremdendes (trotz vorheriger Aufklärung) an sich hat, zu einem Besuch in einem Kaffee ein oder sucht mit ihr in einer Boutique ein hübsches Kleid aus. Ob es sinnvoll ist – wie I. Haas vorschlägt – ein solches Fest mit der ganzen Familie zu feiern, ist für mich ein Problem. Doch hängt auch ein solches modernes Brauchtum von der gesamten Erziehungsatmosphäre einer Familie ab.

In der Erziehung zu Leibfreude und Unbefangenheit vollzieht sich in bester Weise die Erziehung zur Schamhaftigkeit. Wo ein Mensch Freude an seinem Leib hat, auch an den sehr vorläufigen Erfahrungen seiner Geschlechtlichkeit, nimmt er ihn an, integriert er ihn, versucht er ihn zu »bewohnen« und zu besitzen. Von einem gewiß sich einstellenden, aber zeitlich ungewissen Zeitpunkt an, eben in der radikalen pubertären Unsicherheit oder im bestürzenden Moment der Ichfindung, wird der Jugendliche wieder allein sein wollen und es ablehnen, vor anderen sich zu entkleiden usw. Dieser Reifeschritt hängt wiederum von der Atmosphäre der Familie ab. Eine gespielte Unbefangenheit zu erzwingen, wie es in den antiautoritären Kinderläden geschieht[18], scheint mir auf junge Menschen mehr neurotisierend als fördernd zu wirken.

e: Die Fragen der Kinder und Jugendlichen, die die Geschlechtlichkeit des Menschen betreffen, sind präzise und wahr zu beantworten – im Blick auf die Reife und den Verstehenshorizont des jungen Menschen.

H. J. Kreutz hat einmal formuliert: »Wer reif ist, eine Frage zu stellen, der ist reif, die Antwort zu erhalten.« Eine Frage stellt nur, wer schon etwas weiß, wer in einem Vorgriff unbewußt nach dem Ganzen greift und auf dem Hintergrund des Ganzen dieses eine Detail genau wissen möchte. Manche Eltern sehen ein, daß die Fragen beantwortet werden müssen, sind aber unsicher, was man sagen soll, wie man es sagen soll, wieviel man sagen soll. Man soll grundsätzlich die Wahrheit sagen, natürlich je nach den Verständnismöglichkeiten des Kindes, eine Wahrheit, die später entfaltet, vertieft und ausgebreitet werden kann. Fragt ein Kind – etwa mit drei bis vier Jahren – sehr konkret nach »geschlechtlichen« Dingen, dann will es aber auch nur diese eine konkrete Frage beantwortet haben. Dann zu einem Aufklärungsvortrag anzusetzen, ist falsch. Der Vortrag findet nicht die Aufmerksamkeit des Kindes. Später – etwa bei einem sechs- oder siebenjährigen Kind – kann eine Fangfrage allerdings die Ermunterung an den Vater oder die Mutter sein, die Tatsachen um Geschlecht und Liebe einmal in einem größeren Zusammenhang zu vermitteln. Beim Pubertierenden ist die Fragesituation wiederum eine andere. Der junge Mensch in den Reifejahren macht

Andeutungen, blickt einen nur etwas schief oder vertrauensvoll an oder platzt provozierend aus sich heraus, um endlich ein Gespräch über die ihn bedrängenden Probleme zu erzwingen. Es ist also mit großer Sensibilität die Fragesituation des Jugendlichen zu ertasten[19].

Zuweilen bietet sich ein aktueller Anlaß, über Aufklärungsprobleme zu sprechen: eine Geburt in der Verwandtschaft oder Nachbarschaft, Beobachtungen bei Tieren, die Lektüre einer Illustrierten oder die offenherzigen Plakate, die für einen Film werben. Manchmal schockiert der Zusammenhang, aus dem die Frage kommt, die Erwachsenen. Unmittelbare, barsche Reaktion hilft wenig. Am Platze wäre ein einfühlendes Gespräch, in dem dann die konkreten Fragen und Probleme aufgegriffen und eingeordnet werden, was gerade innerhalb der Medienerziehung, bei Diskussionen über Illustrierte, Filme und Fernsehspiele notwendig ist. Medienerziehung kann von der Sexualerziehung nicht getrennt werden; sie befähigt zum eigenen Urteil, zur Kritik und zur Unterscheidung.

f: Der Respekt vor der Intimsphäre der Kinder und Jugendlichen sichert das Vertrauen der Kinder zu ihren Eltern.

Viele Eltern machen sich schon recht früh Sorgen, ob ihre erwachsenen Kinder sich über ihre Nöte, ihren Liebeskummer und ihre unverarbeiteten Liebeserfahrungen mit ihnen aussprechen oder ob sie sich gänzlich verschließen und sich mehr an die Gleichaltrigen-Gruppe wenden werden. Wer vom Pubertierenden Vertrauen erhalten will, muß es sich vorher durch Toleranz, Geduld, Respekt, Schweigen und Ermutigung erworben haben. Wer unbedingt das Vertrauen seiner Kinder verlieren will, soll nur in jener schwer trennbaren Mischung von Neugierde und sorgenvollem Interesse die Tagebücher seiner Kinder lesen, ihre Briefe öffnen, nach geheimen Verstecken in ihren Zimmern suchen und über alles Tun, Unternehmen und Ausgehen (auch bei 15- bis 17jährigen) kleinliche Rechenschaft fordern. Mißtrauen zerstört alle Bindungen und Beziehungen, die sich zwischen Menschen entwickelt haben.

Haben Eltern eingesehen, daß sich ihr Kind vom ersten Tag seines Lebens an auf seinen eigenen Lebensweg machte und machen mußte, um so eher werden sie das Kind – zumal in der Pubertät – zu seinen Erfahrungen, zu seinem Glück freigeben. Die Erkenntnis ist immer bitter: Man kann niemand zu seinem Glück zwingen.

Grundsätzlich werden sich Eltern eingestehen müssen: Man kann heute keinen jungen Menschen mehr »bewahren«. Man wird ihm einen Spielraum der Freiheit und der Entscheidung (wachsend mit seinem Alter und seiner Reife) einräumen müssen und kann nur hoffen, daß alles gut geht. Sollte etwas – gemessen an herkömmlichen Vorstellungen – »schief« gegangen sein, wird dies weder durch ein Lamento noch durch eine Beschwörung der Verdikte von Tanten und Nachbarn besser. In einer solchen Lage sollte nur ein Problem interessant sein: Wie geht es weiter? Eltern könnten sich gewiß viele Sorgen ersparen, wenn die Familienatmosphäre so einladend wäre, daß die jungen Menschen gerne zu Beatmusik und Party, zu Kaffeekränzchen und Diskussionsabenden auch Freund und Freundin mitbringen. Auf diese Weise könnte die Familie (neben vielen Möglichkeiten in Betrieb, Schule und informeller Gruppe) zu einem Ort der Begegnung der Geschlechter werden[20]. Die Familie als Begegnungsraum rein in der Absicht aufzubauen, um dann wieder eine bessere Kontrolle zu haben, scheint mir diesen Vorschlag mißzuverstehen.

Man sollte nicht vergessen, daß auch Kinder bereits ein feines Gespür für eine Intimsphäre[21] entwickeln und daß man ihnen erzieherisch einen großen Dienst leistet, wenn man ihnen einen Raum, einen Schrank, eine Schublade usw. anbietet, die allein ihnen gehören, in denen sie ihre »Geheimnisse« unterbringen können.

g: Innerhalb jeder Erziehung wird auch das Moment des Verzichts eine Rolle spielen, das sich dann auch in der sexuellen Erziehung auswirkt.

Ist ein Kind von klein auf verwöhnt, erhält es alles, wonach es greift und worum es schreit, wird es überhaupt nicht fähig, sich in einer Welt einzurichten, die leider Grenzen hat, immer wieder vor die Wahl stellt, so daß man zwei Dinge, die einem gefallen, zur gleichen Zeit nicht haben kann. Befähigung zur Realitätsbewältigung ist also das Ziel von Erziehung zum Verzicht, nicht »Repression« oder Erziehung zum Untertanen.

Die Forderung, auch Verzichte zuzumuten, stellt kein Plädoyer für eine »Opferchenpädagogik« dar. Kein Verzicht hat seinen Sinn in sich; er gewinnt ihn erst aus seinem Ziel und seinem Motiv. Je älter deshalb ein Kind wird, um so klarer sollte ihm gemacht werden, daß ein Verzicht nur den Hinweg zu größerer Reife, Lebenserfüllung, Freude und auch Leistung eröffnet, daß er den Selbstbesitz sichert und die Chance zu besserer Meisterung des Lebens mit sich bringt. Ein Mensch, der sich fraglos und willenlos dem Konsumzwang und dem Konformitätsdruck unterwirft, wandert auf des Schicksals Schneide: Er ist andauernd in der Gefahr, sich an fremde Manipulation zu verlieren und unfrei zu werden.

Verzicht ist demnach ein Imperativ der Freiheit. Ist der Mensch wirklich jenes Wesen, das auch nein sagen kann, um dadurch Mensch zu sein, dann besitzt die Erziehung zu diesem Neinsagen ein großes Gewicht. Um diese Freiheit geht es auch in einer Sexualerziehung, die den Triebverzicht kennt. Liebe und Freiheit sind eins. Wer nicht verzichten gelernt hat, wird getrieben, kann im letzten nicht mehr den anderen als Partner und Person respektieren. Damit aber verliert die Liebe an Sinn und wird zur Begierde. Es liegt auf der Hand, daß eine so verstandene Sexualerziehung Liebeserziehung im besten Sinne des Wortes ist.

Die Konsequenz: Eltern sollten den Mut zu einer klaren Forderung, zu einer gewissen Lebensordnung für die ganze Familie, auch zu Verboten haben (auch dadurch werden Normen mitgegeben und ein Wertverhalten eingeübt). Wie diese Forderungen vorgebracht werden, hängt wiederum ab von der Erziehung von klein auf. Man kann nicht einem Kind jeden Wunsch an den Augen ablesen und erfüllen und dann plötzlich in den Reifejahren Verzichte auf-

erlegen. Das menschliche Leben stellt auch in dieser Hinsicht eine (psychologische, geschichtliche) Ganzheit dar[22].
Je mehr in der Schule eine versachlichte, in der Gleichaltrigen-Gruppe mit »experimentellen Normen« befrachtete, in Kino und Massenmedien sexuell einseitig akzentuierte Geschlechtserziehung stattfindet, um so mehr müßte sich gerade in der Familie jene integrierende Sexualerziehung vollziehen, die die zentrifugalen Teilaspekte wieder zum Einen-Ganzen zurückbindet: Sachlichkeit zu emotionaler Tiefe, Sexualerziehung zu erotischer Kultur, diffuse Normenvorstellungen zu gültigen Maßstäben. Eine – allerdings intakte – Familie kann bei dieser Aufgabe durch keine andere Institution ersetzt werden[23].

XI. Sexualerziehung in der Schule

Auf der Plenarsitzung der ständigen Konferenz der Kultusminister der Länder (KMK) vom 3. bis 4. 10. 1968 in Mettlach wurden die »Richtlinien zur Sexualerziehung in den Schulen« verabschiedet. Inzwischen haben die Kultusministerien der einzelnen Länder detaillierte Anordnungen dazu ergehen lassen. Sahen sich zuerst die meisten Lehrer durch die Aufgabe überfordert, so wurden inzwischen erste Experimente gemacht und wertvolle Erfahrungen gesammelt. Ein ruhiges und überlegtes Vorgehen wurde allerdings durch die Forderungen und Aktionen des AUSS und anderer Schülergruppen erschwert. Debatten über Sinn, Ziel und Methode der Sexualerziehung in den Schulen wurden geführt. Bei der Unversöhnlichkeit der Standpunkte ergab sich oft eine große Ratlosigkeit.
Es scheint nötig, die Richtlinien der KMK einmal darzustellen und zu bewerten, sie mit anderen Möglichkeiten schulischen Vorgehens zu vergleichen und die Problematik der Sexualpädagogik in der Schule überhaupt ins Bewußtsein der Eltern und Erzieher zu heben.

1. Die Richtlinien zur Sexualerziehung in den Schulen

Über alle Methodenfragen entscheidet das Ziel der Erziehung. An ihm läßt sich das Menschenbild, die (bewußt oder unbewußt) grundgelegte Anthropologie erkennen. Wie bestimmen die Richtlinien die Aufgabe der Sexualerziehung in den Schulen?

> »Sexualerziehung als Erziehung zu verantwortlichem geschlechtlichen Verhalten ist Teil der Gesamterziehung. Sie ist notwendig, um die individual- und sozialethischen Aufgaben der Erziehung zu erfüllen.«[1]

Ziel der Sexualerziehung ist ein menschliches, d. h. ein verantwortliches Verhalten, das sich am Ethos der Person und der Gemeinschaft auszurichten hat. Damit wird bereits jedem Pragmatismus des Verhaltens – welcher ideologischen Provenienz auch immer – eine Absage erteilt. Die Sexualerziehung kann sich nicht neben oder getrennt von der Gesamterziehung vollziehen, sondern stellt einen Teil der Gesamterziehung dar. Daraus folgt – vor allem für die Methodik eines solchen Unterrichts –, daß sie, im Idealfall in das Ganze des Unterrichts integriert, keinen Sektor der Erziehung ausmacht. Damit aber wird verhindert, daß eine einseitige Akzentuierung mehr eine Desintegration erzielt als zu einer Integration der Sexualität beiträgt.

Entsprechend Art. 6 des Grundgesetzes der BRD wird dann klar herausgestellt:

> »Sexualerziehung ist in erster Linie Aufgabe der Eltern. Die Schule ist aufgrund ihres Bildungs- und Erziehungsauftrags verpflichtet, bei dieser Aufgabe mitzuwirken.«

Die subsidiäre Funktion der Schule wird in diesen Sätzen eindeutig hervorgehoben. Von welcher Brisanz diese sachliche Formulierung ist, nimmt man erst wahr, wenn man um jenen Konflikt weiß, der sich vor Jahren in Berlin im Anschluß an die „Richtlinien für Sexualerziehung in der Berliner Schule« (vom 1. 9. 1962)[2] ergab. Damals berief sich die Schule auf Art. 7 Abs. 1 des GG, die Eltern dagegen auf Art. 6 Abs. 2 des GG. In den Berliner Richtlinien heißt es in Ziffer 3 Abschnitt D:

»Da die biologische Belehrung und Sexualerziehung Teile der allgemeinen Erziehung des Kindes und des Jugendlichen sind, ist die Behandlung geschlechtlicher Fragen im Rahmen der schulischen Erziehung Pflicht des Lehrers und setzt das ausdrückliche Einverständnis der Eltern nicht voraus.«

Regierungsdirektorin M. Efken (Berlin) verteidigte diesen Satz mit dem Hinweis: »Nach unserer Auffassung entspricht hier unsere Anschauung durchaus dem Grundgesetz.«[3] Sie sieht wohl eine Beziehung des Art. 6 Abs. 2 des GG zum Art. 7 Abs. 1 des GG, löst aber die Konkurrenz der beiden Aussagen auf diese Weise: »Die staatliche Schulhoheit steht im Verhältnis zum Elternrecht des Artikels weder in einem Überordnungs- noch in einem Unterordnungsverhältnis. Beide Bestimmungen stehen vielmehr gleichberechtigt nebeneinander und weisen den wichtigsten Erziehungsträgern ihre Aufgaben zu.«[4] Selbst wenn M. Efken sich in diesen Worten von der löblichen Absicht leiten ließ, die schulische Sexualerziehung rechtlich sicherzustellen, kann man in ihrer Aussage einen etatistischen und antifamiliären Standpunkt nicht überhören. Man wird gewiß dem Lehrer Rechtssicherheit zugestehen müssen, wenn er sich an das heikle Problem der Sexualerziehung in der Schule heranwagt; es fragt sich aber, ob der einzige Ausweg aus dieser Aporie die Berufung auf ein etatisches Schulmonopol darstellt[5]. Kein Wunder, daß aus denselben Gründen H. Gamm eine Änderung des Elternrechts fordert[6].

Die Richtlinien der KMK betonen eine enge Zusammenarbeit zwischen Elternhaus und Schule:

»Um die Sexualerziehung in Elternhaus und Schule aufeinander abzustimmen, soll den Eltern Gelegenheit gegeben werden, ihre Erfahrungen und Fragen in Elternversammlungen zu diskutieren. Sie sollen rechtzeitig darüber informiert werden, welche Richtlinien zur Sexualerziehung in der Schule gelten und welche Themen in den Lehrplänen vorgesehen sind; sie haben dann die Möglichkeit, diese Fragen schon vorher mit ihren Kindern zu besprechen.«

Die Zusammenarbeit zwischen Elternhaus und Schule entspricht nicht nur den Rechten und Pflichten der Erziehungsträger[7], sondern entspringt auch dem Wunsch nach einem optimalen Erziehungserfolg. Allzu leicht ergäben sich Widersprüche und gegenläufige Erziehungsabsichten, wenn Schule und Elternhaus nicht einen Dialog miteinander führten. Als Institution der Kommunikation sind die Elternabende nötig, in denen über anliegende Probleme diskutiert, über Lehrpläne informiert wird und die Erziehungsmethoden aufeinander abgestimmt werden.
Ein weiterer Abschnitt der Richtlinien beschäftigt sich mit dem Problem von Wissen und Gewissen in der Sexualerziehung. Er lautet:

> »In der Schule sollen Schülerinnen und Schüler zu den Fragen der menschlichen Sexualität ein sachlich begründetes Wissen erwerben. Dieses Wissen soll es ihnen ermöglichen, auf diesem Gebiet Zusammenhänge zu verstehen, sich angemessen sprachlich auszudrücken und sich ein Urteil – auch über schwierige und ungewöhnliche Erscheinungen – zu bilden.
> Sexualerziehung in der Schule soll dazu beitragen, daß die jungen Menschen ihre Aufgaben als Mann oder Frau erkennen, ihr Wertempfinden und Gewissen entwickeln und die Notwendigkeit der sittlichen Entscheidung einsehen. In dieser Zielsetzung begegnen sich die Bemühungen der Schule mit entsprechenden Bemühungen der Kirchen, Religions- und Weltanschauungsgemeinschaften und anderer Erziehungsgemeinschaften und -institutionen.«

Beachtung verdient, daß sich die Sexualerziehung in der Schule nicht auf sachliche Information beschränkt, sondern auch Wertempfinden und Gewissen entwickeln will, aus denen die Einsicht in die Notwendigkeit sittlicher Entscheidung erwächst. Inwieweit hier auch eine echte Kooperation von Schule und Kirche möglich ist, bleibt in den Richtlinien offen – ein Problem, das gerade im Bereich der sittlichen Normen seine Aktualität besitzt.
Der abschließende Text hebt noch einmal hervor, daß Se-

xualerziehung in der ganzen Schulzeit, d. h. wohl auch phasengerecht, stattfinden soll:

> »Erziehung zu verantwortlichem geschlechtlichen Verhalten und zum Bewußtsein der Verantwortung, in der der einzelne in bezug auf sich selbst, den Partner, die Familie und die Gesellschaft gestellt ist, ist Aufgabe der Schule während der ganzen Schulzeit.«

Die weiteren Ausführungen besprechen noch einmal die Grundlagen und differenzieren die Unterrichtsziele je nach der Klassenstufe, wobei auch über Empfängnisverhütung, Geschlechtskrankheiten und perverses sexuelles Verhalten gesprochen werden soll. Da die Sexualerziehung nicht an bestimmte Unterrichtsfächer gebunden ist, wird im Abschnitt 3 herausgearbeitet, was der Biologieunterricht, die Sozial- und Gemeinschaftskunde, die geisteswissenschaftlichen und künstlerischen Fächer und der Religionsunterricht zu leisten hätten. Ergänzungen durch Vortragsveranstaltungen und Diskussionen sind möglich. Zum Abschluß werden Anregungen für Lehrerfortbildung und Lehrerausbildung in dieser Sparte gegeben.

Das Echo auf diese Richtlinien der KMK war nur teilweise positiv[8]. Endlich habe man sich einer Notsituation der heutigen Jugend angenommen, meinten jene, die den Richtlinien zustimmten. Negativ bewertete sie H. Kentler. Er hält sie für repressiv[9]. O. Brüggemann, der der Kommission angehörte, die die Richtlinien erstellte, versuchte in einem Interview in *betrifft: erziehung*[10] diesen Eindruck zu zerstreuen und den Vorwurf zurückzuweisen. Auch H. J. Gamm lehnt die Richtlinien im wesentlichen ab, weil sie zuviel an Wissen vermittelten, doch keineswegs eine »Praxis« innerhalb der Schule ermöglichten und damit die entsexualisierte Schulatmosphäre weiterhin konsolidierten[11]. Gänzlich dagegen waren verständlicherweise progressive Schülergruppen, die laut einer hessischen Schülerzeitschrift nur bereit sind, die Sexualkunde über sich ergehen zu lassen, »wenn die Antibabypille in den freien Handel kommt«. Jede Kritik an diesen Richtlinien hat ihren ideologischen Hintergrund. Man wird aber jener Kritik zustimmen müssen, die sagt, in diesem Text sei viel von Verantwortung, nicht aber von Glück, Freude und Lust die Rede[12]. Vielleicht zählen diese Worte nicht zum Jargon kultusministerieller Verlautbarungen. Um so schlimmer!

2. *Sexualpädagogische Erlasse einzelner Bundesländer*

Die Richtlinien der KMK besaßen ihre Vorläufer. In den einzelnen Bundesländern waren etwa seit 1950 verschiedene Verordnungen zu diesem Bereich erschienen. So wurden in Nordrhein-Westfalen am 20. 4. 1950 Verordnungen zur »Gefährdung der Jugend durch Sittlichkeitsverbrecher«, am 17. 1. 1951 zur »Sexualpädagogischen Erziehung« und am 1. 2. 1962 zur »Sexualpädagogischen Aufgabe der Schule« erlassen, denen es allerdings – verglichen mit den Richtlinien von Berlin (l. Fassung vom 1. 10. 1959, 2. Fassung vom 1. 9. 1962) und Hessen (30. 11. 1967) – an der rechten Klarheit mangelt. Sehr früh äußerte sich auch das Kultusministerium von Baden-Württemberg zu »Aufklärungsvorträgen in der Schule« (Erlaß vom 9. 4. 1954). Das Kultusministerium von Schleswig-Holstein gab am 11. 2. 1965 einen Erlaß zur »Sexualerziehung« heraus. Die Schulbehörde von Hamburg ließ 1962 die Richtlinien für die Sexualpädagogik (von der »Arbeitsgemeinschaft Sexualpädagogik in der GEW« erarbeitet) nachdrucken und an die Schulen verteilen. Hessen, Hamburg, Rheinland-Pfalz und Niedersachsen nahmen in den Bildungs- und Lehrplänen zu Fragen der Sexualerziehung Stellung. Bayerns Kultusminister gab am 25. 6. 1962 einen Hinweis auf die Zusammenarbeit von Schule und Elternhaus in dieser Frage und veröffentlichte am 17. 1. 1968 ein Rundschreiben an alle Gymnasien betr. die Sexualerziehung. Im Saarland wurden eigene Richtlinien 1968 im Parlament beraten. Ferner fanden Fortbildungsveranstaltungen in Sexualpädagogik für Lehrer in Berlin, Hamburg, Nordrhein-Westfalen, Rheinland-Pfalz und im Saarland statt[13].

3. *Ausländische Beispiele und Erfahrungen*

Etliche Jahre den deutschen Erlassen voraus, beschäftigten sich die Kultusministerien von Schweden, Finnland und Frankreich mit den Fragen der Sexualerziehung in der Schule. Vermutlich hatte in Deutschland die unmittelbare Nachkriegssituation mit Schulraumnot, Lehrermangel, Entnazifizierung den Blick auf andere Probleme gerichtet. Viel zu sehr ging es um den Aufbau eines geordneten Schulwesens und später um Probleme einer modernen Schulbildung überhaupt.

In Schweden, wo sich schon um die Jahrhundertwende einige Ärztinnen mit dem Problem »sexualhygienische Aufklärung für Mädchen« in der Volksschule beschäftigten, gab es durch Erlaß des Königs vom 2. 11. 1944 bereits 1945 ein »Handbuch für den Sexualunterricht für Lehrer an Volksschulen« und 1949 ein Handbuch für höhere Schulen. Vorausgegangen war 1942 ein Beschluß des Reichstags, den Sexualunterricht in der Volksschule einzuführen. In den genannten Handbüchern wird Sexualkunde als ein »integrierender Bestandteil der mitbürgerlichen Erziehung« verstanden, die sich durch »Sachlichkeit« und »ideale Grundhaltung« auszeichnen soll. Es geht in diesen Handbüchern nicht nur um die Vermittlung physiologisch-biologischer Tatsachen. Ihr Ziel ist mehr noch die Festigung einer seelisch-sittlichen Haltung. In der Methode soll die Sexualkunde organisch in den gewöhnlichen Unterricht eingebaut werden – vor allem in die Heimatkunde, Naturkunde, Staatsbürgerkunde und in den Religionsunterricht. Werden in der Unterstufe der Volksschule Jungen und Mädchen koedukativ unterrichtet, sollen sie in der Oberstufe bei Fragen der Menstruation, Pollution, geschlechtlicher Hygiene, Selbstbefriedigung und Enthaltsamkeit getrennt unterrichtet werden. In den höheren Schulen soll auch auf die einzelnen Geschlechter Rücksicht genommen werden – etwa bei den 15- bis 17jährigen bei der vertieften Unterweisung über biologische, ethische und soziale Bezüge des Geschlechtslebens. Auch in diesen Handbüchern wird auf eine enge Zusammenarbeit zwischen Elternhaus und Schule Wert gelegt. Insgesamt wird den beiden Handbüchern ein beachtliches kulturelles und pädagogisches Niveau zugesprochen – ein Urteil, das um so mehr wiegt, da mit den Handbüchern Neuland beschritten wurde. 1956 traten die Richtlinien von 1955 in Kraft: Sexualerziehung wurde obligatorisch. 1964 wurde dann vom Kultusministerium eine Kommission eingesetzt, die die Richtlinien von 1955 prüfen und modernisieren soll. Maj-Brith Bergström-Walan, die dieser Kommission angehört, urteilt über die schwedische Sexualerziehung:

> »Die beiden wichtigen Trends der Richtlinien – Enthaltsamkeitsforderung für Jugendliche, Hinerziehen auf die traditionelle Ehe und Familie – zeigen, daß die schwedischen Richtlinien der Sexualpädagogik viel konservativer sind, als man im Ausland gemeinhin annimmt. Sie sind durch eine – wenn auch liberale – Mittelstandsmoral gekennzeichnet . . . Die Kritik an den schwedischen Richtlinien hat inzwischen dazu geführt, daß viele Lehrer heute schon über die Richtlinien hinausgehen, zum Beispiel früher und ausführlicher über Empfängnisverhütung sprechen.«[14]

In Finnland wurde 1948 vom Unterrichtsministerium ein Ausschuß für sexuelle und ethische Erziehung ins Leben gerufen. Ihm wurde der Auftrag erteilt, ein Handbuch auszuarbeiten, das 1951 für Erzieher, Lehrer und die reifere Jugend vorgelegt wurde. Die schulische Sexualerziehung ist besonders in den Volks- und höheren Schulen weitgehend eingeführt. Einbaustellen im Unterricht sind Heimatkunde, Hygiene, Biologie, Psychologie und Religion. Im allgemeinen wird der Unterricht vom Lehrer erteilt, doch kann auch der Schularzt mit Vorträgen betraut werden. Im übrigen ähnelt der Aufbau der Sexualkunde dem schwedischen Plan.

In Frankreich ist in dieser Frage die Planung noch nicht überschritten. Zwar wurde 1948 vom Kultusministerium ein Studienausschuß berufen, der einen Plan ausarbeiten sollte. Obgleich jede einseitige Aufklärung abgelehnt wurde und starke Akzente auf sittliche Unterweisung gelegt werden, besitzt der Biologieunterricht eine gewisse Priorität; er ist der eigentliche Ort des sexualkundlichen Unterrichts. Anknüpfungspunkte werden allerdings auch im Literaturunterricht, in Psychologie, Zivilkunde, Religion und im sogenannten »Cours de morale« gesehen. Auch in Frankreich soll der Unterricht im engen Kontakt zwischen Elternhaus und Schule ablaufen[15].

4. Ideologische Attacke auf die Sexualerziehung in der Schule

Am 17. Juni 1967 fand die erste Delegiertenkonferenz der verschiedenen Schülerbünde Deutschlands in Frankfurt statt, die sich als AUSS zusammenschlossen. Am 18. 6. wurden die Fragen »Sexualtabus in der Schule – Zum Verhältnis von Sexualität und Politik« behandelt. Das Thema war von der Frankfurter Zentrale formuliert und an den sozialistischen Schülerbund Bonns weitergeleitet worden. Die Primanerin Ariane Wollrab übernahm das Referat und forderte in ihrer programmatischen Rede eine emanzipierte Gesellschaft, die nicht auf Zwang und Unterordnung aufgebaut ist.
Die Resolutionen der AUSS zur Sexualerziehung geben sich in ihren Forderungen betont sachlich[16]. Sie sehen richtig, daß die Atmosphäre der Schule »steril« und »entsexualisiert« ist[17], daß auch die Richtlinien der KMK eine »lustfeindliche Haltung«[18] offenbaren. Doch wenn die Sexualaufklärung beschrieben wird als eine »Mischung aus Anatomie und Physiologie, angereichert mit einem Schuß Ethik und je nach Landschaft konfessionell garniert«, wenn die Sexualaufklärung eine »praktische Absicht« hat, so lassen solche forschen Formulierungen nur die Ideologie ahnen, die im Hintergrund steht. Denn die Forderungen und die Sexualkampagne verstehen sich als Initialzündung für die Politisierung der Schüler überhaupt. Das Thema »Sexualaufklärung« soll sozusagen ein Köder sein[19], um junge Menschen für das AUSS und den SDS zu gewinnen.

»In der Tat sind die Probleme der Sexualität unser Einstieg für die Politisierung der Schüler gewesen, und das war nicht nur ein opportunistisches oder taktisches Element, sondern wir glauben tatsächlich, daß die Probleme der Sexualität ganz zentrale Probleme von Familie, von Herrschaft, von Unterdrückung, von Konsum-Manipulation usw. sind.«[20]

Damit aber wird die Ernsthaftigkeit des Anliegens schon weithin in Frage gestellt, selbst wenn man über den Zusammenhang von Sexualität und politischer Attitüde noch zu reden hätte.

Daß bei solcher Mentalität die Richtlinien der KMK überhaupt schlecht abschneiden und der geplante Sexualunterricht nur zur »Reproduktion der bürgerlichen Gesellschaft« beiträgt, daß man im Eingehen auf die Forderungen der Jugendlichen nur die Jugend wieder für die kapitalistische Gesellschaft gewinnen will, war bei der ideologischen Fixierung dieser Gruppen dem neuen Anfang in der Schule gegenüber nur zu erwarten. Ihnen geht es nicht um Theorie in der Sexualaufklärung, es geht um die »Praxis«. Die Homberger Schüler forderten unzweideutig:

»Nur wenn die Anti-Baby-Pille in den freien Handel kommt, sind wir bereit, Sexualkunde über uns ergehen zu lassen. Das ist unsere Bedingung. Wenn sie nicht erfüllt wird, betrachten wir den geplanten Sexualunterricht als eine Zumutung für unser Schamgefühl und werden den Unterricht bestreiken.«[21]

Trotz solcher sozialer Utopien, trotz der richtig gewählten Ansatzpunkte im Schülerleben, trotz eindeutiger Forderungen verliefen die Aktionen der AUSS allmählich im Sande. R. Reiche, einer der Ideologen der AUSS, mußte zugeben:

»Die Gruppe der Oberschüler hat sich von den intendierten lokalen Sexualaufklärungskampagnen nur einige Wochen lang beeindrucken und politisch ergreifen lassen . . . Die ersten Rückschläge des AUSS nach den regelmäßig überfüllten ›Sexualveranstaltungen‹ an den einzelnen Schulen sind auf die Überschätzung der politisch weitertreibenden Kraft der sexualpolitischen Initialzündung – an deren Funktion als solcher wiederum prinzipiell festzuhalten ist – zurückzuführen.«[22]

Dieses Fiasko beweist für die Schüler der Linken erneut, daß die Repression und die Tabus unserer Gesellschaft »allmächtig« sind. »Sexuelle Freiheit ist in einer unfreien Gesellschaft sowenig wie irgendeine andere zu denken.«[23] Die nüchterne Konsequenz lautet deshalb: Eine Gesellschaft muß entwickelt werden, in der jede »Herrschaft« von Menschen über Menschen abgeschafft ist.

Für andere Schüler ist dieses Scheitern der Sexualkampagne allerdings ein Hinweis, daß der Speck, mit dem man Mäuse fangen wollte, sozialistisch versalzen war. H. Glaser meint dazu, die »Verabsolutierung von Sexualtechnik ist ... letztlich nichts anderes als eine reziproke Sexualprüderie, da beidemal die Personalität des Menschen verfehlt wird«[24], ist also ebenso schlecht wie die Taktik des Verschweigens und der totalen Triebunterdrückung. Wenn Haugg/Maessen meinen, der Schüler müsse jetzt einen Zweifrontenkampf führen, gegen die traditionell-sexuell unterdrückenden Normen und gegen die neue industrielle Sexualaufklärung (in den Massenmedien, die den Orgasmus bei bleibender Unterdrückung verheißen)[25], so wäre klarzustellen: Es ist von den Schülern sogar ein Dreifrontenkrieg zu führen. Die dritte Front müßte charakterisiert werden als Ideologie der sexuellen Potenz, die sich wissenschaftlich herausputzt, aber im Endergebnis nicht viel mehr ist als eine neomarxistisch verbrämte Neuauflage eines gestrigen Hedonismus.

Da sich nun die schulische Kampagne zu Tode gelaufen hat, nehmen sich Bildungstheoretiker dieser Aufgabe wissenschaftlich an. H. Kentler tut es in seinem Buch *Sexualerziehung*[26]. H. J. Gamm greift in seinem Buch *Kritische Schule* von theoretischen Gesichtspunkten her die Ärgernisse der Jugendlichen auf, bringt sie harmonisch in sein vorfabriziertes System ein und fordert – wohl keine Liebeszimmer wie G. Amendt – Räume, »in denen die Schüler beider Geschlechter unkontrolliert verweilen können und die Möglichkeit erotischer Kommunikation besitzen«[27]. Solche »Emanzipation« muß man mit einem Fragezeichen versehen.

5. *Problematik der Sexualerziehung in der Schule*

Wenn im Folgenden die Problematik der Sexualerziehung in der Schule herausgearbeitet wird, dann geschieht dies nicht, um sie überhaupt an der Schule abzulehnen, sondern um mit einem adäquaten Problembewußtsein an diese Aufgabe herangehen zu können und dadurch erst bereit zu werden, das Problem lösen zu können.

a: Entwicklungspsychologische Probleme

Die Schwierigkeit jeder Sexualinformation liegt darin, den optimalen Zeitpunkt für die Wissensvermittlung zu entdecken und zu nützen. Verfrühung wie Verspätung sind gleich schädlich. Im einen Fall wird eine unzeitige Aufmerksamkeit geweckt und unter Umständen durch einen Schock der junge Mensch traumatisiert. Im andern Fall wird das verspätete Wissen nicht mehr integriert und nicht mehr ernst genommen. Den rechten Zeitpunkt zu finden, stellt schon eine Schwierigkeit beim einzelnen Jugendlichen dar. Um wieviel mehr muß sich dieses Problem multiplizieren, wo es sich um eine Schulklasse handelt, in der keine homogene Zuhörerschaft vorhanden ist, sondern aufgrund des Temperaments und des elterlichen Milieus nebeneinandersitzen: Gereifte und Zurückgebliebene, Altkluge und Einfältige, Wissende und Naive, Desillusionierte und Sensible. Das Handbuch des schwedischen Sexualunterrichts sah dieses Problem auch deutlich:

> »Weiterhin wurde darauf hingewiesen, daß sich die Schüler einer Klasse in den verschiedensten Entwicklungs- und Reifestadien befänden. So würde bei einem Unterricht für alle gleichzeitig, selbst wenn er einigen nütze, für die er angemessen sei, bei anderen Schaden anrichten, die sich noch nicht im geeigneten Entwicklungsstadium befänden.«[28]

Das schwedische Handbuch löste das Problem mit diesen Hinweisen:

»Der Unterricht muß versuchen, das unterschiedliche Bedürfnis zu berücksichtigen. Bestimmte, frühreife und sexuell ›geweckte‹ Schüler können eine recht krasse, vielleicht etwas herausfordernde Haltung einnehmen und geneigt sein, die Lerninhalte als geschäftige Berichtigung oder Ergänzung ihres früheren Wissens anzusehen. Andere Schüler sind gefühlsbetont, empfindsam oder haben eine verdrehte, schuldbeladene Einstellung zur Sexualität und betrachten jegliche Erörterung anatomischer und physiologischer Einzelheiten als erniedrigend und verletzend. Nicht zuletzt mit Rücksicht auf diese Schüler ist es von größter Bedeutung, daß die Darstellung taktvoll, mit Fingerspitzengefühl und in richtiger Beurteilung erfolgt. Eine mit größtem Wohlwollen und doch plump vorgetragene Unterweisung riskiert beim Schüler eine Abneigung gegenüber der Darstellung des Lehrers und schlimmstenfalls gegenüber der Sexualität überhaupt. Bestimmte Schüler lassen sich z. B. höchst ungern nach anatomischen Fakten fragen. Somit muß der Lehrer in diesen Fällen gewohnte Prinzipien mündlicher Wissensprüfung aufgeben. Die Kenntnis seiner Schüler und ihrer Reaktion im Unterricht muß ausreichend sein, um einzelne Schüler mit bestimmten Fragen zu verschonen.«[29]

Diesen Ratschlägen des schwedischen Handbuchs muß man ungeteilt zustimmen. Man sollte hinzufügen: Eine etwaige Überforderung einzelner kann nur dort riskiert werden, wo durch eine persönliche Beziehung des Schülers zum Lehrer ein nachfolgendes Gespräch in Frage kommt bzw. wo eine Aufarbeitung der dargebotenen Einzelheiten in der Familie geschehen kann – was wiederum eine enge Zusammenarbeit zwischen Schule und Elternhaus voraussetzt[30].

Wenn obige Probleme gerade für das Schulkind gelten, so ergibt sich beim Pubertierenden ein eigenes Problem aus seiner Erwartungshaltung der Person gegenüber, die ihn aufklärt und über sexuelle Fragen unterrichtet. Es ist nicht von vorneherein erwiesen, daß er dem Lehrer für diese Aufgabe die größte Eignung zuspricht. Prüft man unter dieser Rücksicht die Untersuchungen von EMNID im Jahre 1964, so stellt man fest: Damals wurden 29% der Jugendlichen in der Schule, 57% von den Eltern aufgeklärt (bei Mehrfachnennung)[31]. Als die Jugendlichen gefragt wurden, wie sie es einmal mit ihren eigenen Kindern handhaben würden, ergab sich die Antwort, daß diese Aufgabe nur 11% der Schule zuteilen, 85% als Eltern aber selbst erfüllen möchten. Ein ähnliches Ergebnis resultiert aus dem Vergleich der Untersuchungen von 1949 mit 1963, von denen U. Undeutsch berichtet. Auch dort findet sich bei der Aufklärung durch die Eltern ein Anstieg von 35% auf 58%, während für die Schule nur ein Zuwachs von 6% auf 15% zu bemerken ist[32]. Der in Westdeutschland greifbare Trend zum Elternhaus als dem eigentlichen Träger und Ort der Sexualaufklärung kommt in der DDR noch auffallender zum Vorschein, wie H. Grassel berichtet. Auch eine Enquete unter Berliner Schülern von R. Müller schließt in dieser Frage mit dem Urteil: »Von einer Vorzugsstellung des Lehrers kann keine Rede sein.«[33]

Damit wird die Unterstellung korrigiert, daß der Jugendliche den Lehrer für den geeignetsten hält, ihm in den Fragen um Liebe und Geschlecht entscheidendes Wissen mitzuteilen. Wer demnach aufdringlich Sexualprobleme vorträgt, wird schon von daher auf eine gewisse Ablehnung stoßen. Bei der phasenbedingten Sensibilität des Jugendlichen wird man ihm am besten selbst die Wahl überlassen müssen bzw. ihm mit großer Schonung begegnen, anstatt ihn mit Sexualinformationen sozusagen zu überfallen.

b: Lernpsychologische Probleme

Eine moderne Lernpsychologie hat zusehends wahrgenommen, daß jede Wahrheit durch die Umstände, unter denen sie gelernt wird, emotional besetzt ist. Daraus ergibt sich die Notwendigkeit, darauf zu achten, in welcher Stimmung, in welcher Umwelt, in welcher psychologischen Situation gelernt wird. Macht es meinem Wissen in Mathematik wenig aus, wenn mir der Pythagoräische Lehrsatz in einem theoretischen Unterricht, in einem sachlichen Schulraum beigebracht wird (übersieht man einmal spätere unbewußte Unmutsreaktionen beim Wort »Mathematik«), so ist eine ähnlich emotionale Besetzung bei Wahrheiten um Leib, Liebe und Geschlecht nicht unwichtig und nicht ungefährlich. Intendiere ich Sexualtechnik, dann kann ich eine sachliche Information im Schulraum als die einzig richtige halten. Würdige ich aber die emotionale Lern-Umwelt für mein späteres Verhalten als Liebender, dann muß ich hier ein ernstes Problem entdecken. Gemütsleere oder unpersönliche, sachliche Information über Sexualität können zu einer Inhumanisierung beitragen, die gerade nicht in der Absicht der Schule liegen wird. Deutet dies nicht darauf hin, daß weder der unterhaltsame Rahmen eines Kinos noch der unlustweckende Raum eines Klassenzimmers für Sexualerziehung geeignete Räume sind? Müßte man daraus nicht schließen, daß unter dieser Rücksicht die Familie einen besseren Rahmen für Sexualerziehung abgibt und daß die nur subsidiäre Funktion der Schule damit deutlich unterstrichen wird?

c: Didaktische Probleme

Man scheint sich im klaren darüber zu sein, daß ein eigenes Fach »Sexualkunde« einen zu forcierten Akzent auf diesen Problembereich setzt und u. U. mehr zu einer Desintegration denn zu einer Integration der Sexualität beiträgt. Auch in Schweden gibt es dieses eigene Fach nicht. Wenn G. Fels gegen Sexualerziehung als »Unterrichtsprinzip« zu Felde zieht, so mag er zur Begründung seiner Skepsis gegen die Effektivität einer solchen Anordnung auf das Schicksal anderer »Unterrichtsprinzipien« verweisen; seine darin ausgesprochenen Bedenken gegen ein teamwork an der Schule sind aber wohl unbegründet[34].
Die Bayerischen Richtlinien über die Sexualerziehung an den Gymnasien (vom 27. 3. 1969) geben Anregungen für

Anknüpfungspunkte zu sexualpädagogischen Erläuterungen in den einzelnen Unterrichtsfächern, etwa für Religionslehre, Deutsch, Fremdsprachen, Gemeinschaftskunde, Biologie, Kunsterziehung. Als Beispiele derartiger Hinweise seien die Texte zu Religionslehre, Deutsch und Kunsterziehung zitiert.

»1. Religionslehre

Der Religionsunterricht würdigt den Leib als Gottesgabe. Er erklärt die theologische Auffassung von der Geschlechtlichkeit des Menschen und die daraus abzuleitenden Forderungen an den Menschen. – Schrittweise versucht er, die heranwachsende Jugend zu einem immer tieferen Verständnis eigener Geschlechtlichkeit und seelisch-leiblicher Partnerschaft zu führen. Dabei verwertet er gesicherte Ergebnisse der psychologischen Forschung. Eingehende Besinnung auf die christliche Anthropologie soll den beiden Geschlechtern ihre gegenseitige Verantwortung bewußt machen. – Die gesamte Sexualerziehung wird unter Beachtung historisch und soziologisch erhellter Strukturwandlungen der Gesellschaft an den von Gott gewollten Ordnungen der Ehe und Familie orientiert. Seelsorgliche Hilfe leistet der Lehrer den Schülern und Schülerinnen in allen Altersstufen, besonders während und nach der Pubertätszeit.

2. Deutsch

Wenn sich der Lehrer vor Augen hält, daß Sexualerziehung in vielen Fächern zu verwirklichen ist, wird er genügend Gelegenheit in der durch den geltenden Lehrplan vorgesehenen Literatur haben, diesem Gedanken Rechnung zu tragen. Sowohl eine Überbetonung als auch eine Aussparung von Problemen der menschlichen Sexualität würde eine einseitige Interpretation eines Werkes der Dichtung darstellen. – In der Unter- und Mittelstufe stehen häufig die Begegnungen mit dem anderen Geschlecht und die verschiedenartigen Auseinandersetzungen der beiden Geschlechter mit den Problemen der Liebe und Sexualität im Mittelpunkt lyrischer, epischer oder dramatischer Literatur. – In der Oberstufe werden vor allem Werke der modernen Literatur den Weg zur Sexualproblematik öffnen und den historischen Wandel im Umgang der beiden Geschlechter spürbar werden lassen. Auf der Oberstufe sollte auch der Frage ›Was ist pornographische Literatur?‹ nicht ausgewichen werden . .

6. Kunsterziehung

Bei der Betrachtung von Darstellungen des menschlichen Körpers in Malerei, Grafik und Plastik wird offenbar, wie in der Sicht des Künstlers und in der Ausdrucksform verschiedenartiger religiöser, weltanschaulicher und gesellschaftlicher Vorstellungen das Bild vom Menschen und damit auch die Einstellungen zu menschlicher Geschlechtlichkeit einem steten Wandel unterworfen ist. – Auf der Oberstufe werden Gegenüberstellungen von Kunst und Kitsch sowie Betrachtungen über sexuell gerichtete Zeitschriften- und Plakatreklame oder über die Grenze zwischen Kunst und Pornographie angebracht sein.«

Für Biologie ergeht die Änderung des Lehrplans. Ihre Aufgabe wird so beschrieben. Die Biologie vermittelt »vorwiegend die sachlichen Grundkenntnisse und die Terminologie. Nur auf diesem Fundament kann eine nutzbringende Diskussion auch der ethischen, sozialen, rechtlichen und gesellschaftlich-politischen Fragen aufbauen, die sich in diesem Zusammenhang ergeben. Der Biologieunterricht im Bereich der Sexualerziehung verlangt vom Lehrer zusätzliche Kenntnisse und erhöhte pädagogische Verantwortung. Sein Ziel ist eine saubere und klare Information der Schüler in einer sachgerechten Terminologie; es wird gerade auf diesem Gebiet wesentlich sein, daß der Lehrer stets den gebotenen Takt wahrt und nichts zur Sensation werden läßt. Den Schülerfragen und dem Unterrichtsgespräch kommt hier wesentliche Bedeutung zu.«[35]

In den Hinweisen wird das Prinzip eines integrierten Sexualunterrichts in den einzelnen Fächern durchgehalten, wenngleich die Gefahr nicht übersehen wird, daß ein Lehrer die Aufgabe auf den anderen schiebt oder daß verschiedenartige, zumal moralische Stellungnahmen sich gegenseitig neutralisieren. G. Amendt hat diese Situation gut beschrieben:

»Da waltet vorab im Deutschunterricht noch immer die ›züchtige Hausfrau‹, deren mutmaßliche Frigidität unter gegebenen Verhältnissen ignoriert wird; da werden Shakespeares Sonette noch immer als zeitlose Liebesgedichte dargestellt, ohne den nicht unerheblichen Fakt zu nennen, daß sie von einem Mann für einen Mann geschrieben wurden; da bleibt unerwähnt, daß Romeo und Julia ... vor allem darunter gelitten haben dürften, daß sie es bei der unerbittlichen häuslichen Kontrolle nicht in Ruhe treiben konnten.«[36]

Die Übertreibung in diesen Sätzen ist offenbar. Die Gefahr der Verfälschung der Gefühle wie der Mystifizierung des Erotischen und Sexuellen sollte dennoch nicht gering geschätzt werden.

Ein Problem, das sich gerade im Bereich der Biologie erhebt, ist die anthropologische Frage, die noch immer einer Klärung harrt: Welcher Zusammenhang ergibt sich zwischen tierischem und menschlichem Verhalten? Übertragen auf den Bereich der Didaktik: Ist es richtig, am Tierverhalten anzusetzen, um dann »anders als bei Schmetterlingen« zum Menschen zu kommen? Oder soll man sofort (nachdem man ohne jede Beziehung zum Menschen über die Befruchtung von Blüten und Tieren gesprochen hat) zum Menschen kommen? Mir scheint der unmittelbare Zugang zum Menschen angebrachter zu sein; er legt nicht auf ein animalisches Verstehensmodell fest und stellt menschliches Verhalten eindeutig als menschliches dar, selbst wenn Rudimente eines tierischen Verhaltens da und dort noch durchscheinen (vorausgesetzt, der Mensch projiziert nicht sein eigenes Verhalten in das Tier hinein). Überlegungen wie die folgenden scheinen damit überflüssig: Ob etwa vom onanierenden Hirsch ein Hinweg zum Onanieproblem des jungen Menschen gefunden werden könne. Daß der Aufweis eines Tierjungen im Leib des Muttertieres beitragen könne, etwaige Probleme über die menschliche Frucht zu klären, scheint mir ein absurdes Gedankenspiel zu sein[37].

d: Ethische Probleme

Details sexuellen Verhaltens ohne Maßstäbe sittlicher Bewertung sind im letzten keine Aussagen über menschliche Sexualität. Wo sinnvoll über Geschlechtlichkeit geredet werden soll, impliziert diese Rede ein Menschenbild; ob dies bewußt oder unbewußt geschieht, ist hinwiederum eine andere Frage. Dort aber, wo nach Menschenbildern in der heutigen Gesellschaft gefragt wird und sich als Antwort nur eine konkurrierende Pluralität ergibt, muß es notwendig zu Normenkonflikten innerhalb der Gesellschaft kommen. Wie H. Scarbath herausgestellt hat, sind die Kontroversfragen innerhalb der verschiedenen weltanschaulichen Gruppen die folgenden:

1. die pädagogische und ethische Beurteilung sexueller Ersatzhandlungen wie Masturbation und Petting,
2. die Bewertung des vorehelichen Verkehrs mit wechselnden Partnern,
3. die Bewertung des vorehelichen Geschlechtsverkehrs künftiger Ehepartner und damit das Problem einer mehr juridischen oder mehr personalen Fassung des Ehebegriffs,
4. die Bewertung eines Scheiterns der Ehe,
5. die Beurteilung der verschiedenen Möglichkeiten einer Geburtenkontrolle,
6. eine differenzierte Sicht des Abtreibungsproblems (soziale und ethische Indikation, besonders nach Vergewaltigung),
7. prinzipiell die Fassung der Begriffe »Sittlichkeit« und »Unzucht", deren Inhalt ausschlaggebend ist für die Beurteilung der soeben genannten Phänomene, aber besonders auch für die Stellung sexueller Minderheiten wie der Homosexualität in einer Gesellschaft[38].

Da die Möglichkeit einer nicht normenbezogenen Darstellung ausscheidet, bleiben drei Möglichkeiten, dieses zentrale Problem zu bewältigen. 1. Man könnte die Skala heutiger sexueller Verhaltensweisen darstellen, ohne irgendeiner Verhaltensweise den Vorzug zu geben. G. Schmidt[39] hält diese Pädagogik für vollziehbar und traut dem jungen

Menschen zu, ohne einen eigenen Standpunkt der Bewertung zu besitzen, zu einem Maßstab zu finden. – 2. Die andere Möglichkeit wäre, auf eine sogenannte einfache Sittlichkeit zurückzuschreiten und Minima moralia, über die noch ein Konsens in unserer säkularisierten Gesellschaft besteht, zu finden und darzustellen. Dabei erhebt sich die Frage, was Kriterium dieser einfachen Sittlichkeit sein soll. Ist es das tatsächliche Verhalten, in Umfragen erhoben? Ist es ein Mittelwert, der die Mitte zwischen idealer Norm und realem sittlichen Verhalten fixiert? Ist es eine Fixierung jener Toleranz, die von allen Gruppen einer Gesellschaft aufgebracht werden kann? Ist es eine Norm, die sich an einer kulturanthropologischen Betrachtung des Menschen orientiert? Oder gibt es da noch »natürliche« Maximen? – 3. Eine letzte Möglichkeit wäre, eindeutig den sittlichen Anspruch einer Religionsgemeinschaft darzustellen und zu begründen, was nicht ausschließt, daß man andere »Normen« nahebringt und von diesem Standpunkt aus bewertet. Diese dritte Möglichkeit läge gewiß in einer katholischen oder evangelischen Privatschule nahe und würde damit die größtmögliche Einheit von Elternhaus und Schule im Erziehungsvorgang sicherstellen. Ob diese Gebote einer christlichen Sexualmoral sich auch für andere Schulen unserer säkularisierten Gesellschaft anbieten, wird solange bestritten werden, als christliche Normen nur als christliche und nicht ebensogut als allgemein menschliche verstanden werden.

Die von O. F. Bollnow genannten Kriterien einfacher Sittlichkeit – etwa Anständigkeit und Ehrlichkeit – wären in diesem Zusammenhang erneut zu bedenken. Vielleicht kommt man dann zu den sehr pragmatisch klingenden Imperativen, die A. Comforts menschenfreundliche Sexualmoral enthält und die einer guten Interpretation bedürfen[40]. Daß hier die eigentliche Crux der Sexualerziehung in der Schule liegt, ist Eingeweihten klar. Da man nicht damit rechnen kann, alle Lehrer auf eine einzige Norm sittlichen Verhaltens festlegen zu können, werden das Kind und der Jugendliche in den Dschungel heutiger geistiger und sittlicher Verwirrung gestoßen. Notfalls stiften Ratschläge, Ironisierungen und Unterstellungen mehr Unheil, als manchen Eltern lieb ist. Der Konflikt zwischen Elternhaus und Schule wird sich vorab auf diesem Gebiet ereignen. G. Fels geht dieses Problem mehr unter juristischem Respekt an:

> »Es wäre juristisch interessant, einmal zu durchdenken, wie bei der bestehenden Rechtslage über einen Lehrer entschieden würde, der mit Vorwissen gegen die Erziehungsintention der Mehrheit der Eltern verstieße, indem er zum Beispiel das Onanieren empfiehlt. Dazu fehlt dem Verfasser die Kompetenz, immerhin sei angedeutet, daß hier Probleme liegen, die notwendig auf die Schulverwaltungen zukommen.«[41]

Es wäre besser, wenn längst vor den Schulverwaltungen die Eltern in Elternabenden oder Elternräten sich mit diesen Problemen beschäftigt hätten.

6. Experimentelle Situation in der Schule

Wenn irgendwo das Wort von der »experimentellen Situation" (H. Kentler) zutrifft, dann heute für die Schule bei der Erfüllung dieser gewiß notwendigen Aufgabe. Leider sind krasse Beispiele einer Sexualerziehung an der Schule bekannt, die jeden menschlichen Takt und jede pädagogische Klugheit vermissen lassen. Am 21. 2. 1970 wurden von Professor W. Kuhn im *Ruhrwort* die folgenden Tatsachen publiziert: Eine junge Lehrerin erzählt ihrem zweiten und dritten Schuljahr ausführlich die Geschichte ihrer Defloration und berichtet fast täglich von ihren privaten Sexualerlebnissen. Eine gleichgesinnte Kollegin führt vor ihrer gemischten Klasse elfjähriger Kinder eine Art Striptease vor und demonstriert dabei unter anderem ihre Kaiserschnittnarbe. Ein Junglehrer bringt neben einer Schachtel »Pillen« verschiedene Fabrikate von Kondomen in die Schule mit, um seine Zehnjährigen über die Empfängnisregelung aufzuklären. Als die verdutzten Kinder beim besten Willen nicht verstehen konnten, was ihr Lehrer mit »Geschlechtslust« meinte, forderte dieser die ganze Klasse auf, nach genauer Anweisung gemeinschaftlich zu masturbieren. Ein anderer »Sexualerzieher« läßt Schüler und Schülerinnen sich ausziehen und einander die Genitalien zeigen[42].

Selbst wenn diese Berichte – hoffentlich – nur Einzelfälle beschreiben, selbst wenn sie das Ergebnis von Unsicherheit und Überforderung sind, aufgrund der Probleme, die zur Sexualerziehung in der Schule vorgetragen wurden, scheinen solche Entgleisungen bei der Schwierigkeit der Aufgabe nahezuliegen. Man kann nur hoffen, daß einerseits der Sexualunterricht in der Schule – im Sinne einer subsidiären Aufgabe – immer mehr ohne ideologische Verzerrung etabliert wird, daß andererseits die Hypersexualisierung abnimmt und damit ein emotional weniger belastetes Umfeld entsteht; denn der Zusammenhang zwischen Öffentlichkeit, Gesellschaft und Schule darf gerade bei diesen Problemen nicht unterschätzt werden.

Grundsätzlich wäre auch hier zu sagen: Die forsche Sprache ohne Respekt, das Sexfoto im Detail ohne Bezug zum ganzen Menschen, die Überforderung in der Information, das Hochspielen der Perversion zum Gleich-gültigen, die Verallgemeinerung des Verhaltens einer Minderheit, die Suggestion der Panikstimmung für die Enthaltsamen, der Konformitätsdruck auf die »Braven« sind insgesamt Auswüchse einer Reaktion, die mit purer Ablehnung der Tradition angetreten ist, kein Maß findet und vermutlich, auf lange Sicht gesehen, dieselben Einstellungen wie die alte Sexualerziehung produziert. Es wäre bedauerlich, wenn die Schule bei dieser Indoktrination neuer Tabus wie neuer Schuldgefühle mitwirken würde.

Maß ist keine Tugend unserer Zeit – in diesem Bereich wie in manchen anderen. Da aber Maß nicht ohne Ordnung, Ordnung nicht ohne Disziplin, Disziplin nicht ohne das Bewußtsein um Werte möglich ist, stehen wir hiermit nur vor der großen und ungelösten Frage unserer Zeit, der Frage nach einem letzten Sinn. Weil ein letzter Sinn fehlt, entsteht dieser grenzen- und schonungslose Trend zur Zerstörung der Intimräume, zur Enttabuierung, zur Demonstration der »wertfreien Sache: Sex«. Es ist zu befürchten daß dieser Trend sich auf die Dauer nur als Inhumanisierung auswirken kann. Die Schule aber war immer, im Dienst an der Jugend und an der Gesellschaft, der Humanität verpflichtet[43].

XII. Gespräche mit Jugendlichen über Sexualprobleme

Wenn hier von Gesprächen mit jungen Menschen über Sexualprobleme die Rede ist, so sind unter den jungen Menschen Jugendliche zwischen 16 und 25 Jahren verstanden, denen durch diese Gespräche geholfen werden soll, partnerschaftlich liebesfähige Menschen zu sein, besser, liebes fähige Menschen zu werden; denn diese Aufgabe stellt sich täglich und will immer neu bewältigt werden[1].

1. Die Situation des Gesprächs und ihre Folgen

Bevor über die Argumente und die Artikulation des Gesprächs gehandelt werden kann, muß der zeitbedingte Ort des Gesprächs ausgemacht werden, um von ihm her zu formalen Strukturen des Gesprächs zu finden.

a: Protest gegen die alte Welt

Jede Generation hat den Wunsch, sich von der alten Welt ihrer Väter abzusetzen und eine neue Welt zu bringen, die Welt der Jugend. Der aus diesem Wunsch entstehende Generationskonflikt ereignet sich nicht immer in den Formen der Jugendbewegung der zwanziger Jahre, aber er vollzieht sich um so umfassender und tiefgreifender (was nicht heißt: um so leidenschaftlicher), je mehr die Intimräume in sich (eben von patriarchalischer zu partnerschaftlicher Verfaßtheit in Ehe und Familie) und in ihrem Verhältnis zum öffentlichen Raum umstrukturiert werden. Da wir heute einen solchen Umbruch, der auf seine Bewältigung wartet, erleben, wird das Streben nach einer neuen Moral verständlich, das heißt nach einer Moral ohne Autorität, auf eigenes Risiko, als Ergebnis des Experiments des eigenen Lebens[2] und als Eröffnung eines Wegs in die Zukunft.

Je mehr der Anspruch auf eine neue Moral erhoben und je mehr zu gleicher Zeit die »alte« Moral als fadenscheinig, dürftig und fragwürdig erkannt wird[3], um so mehr wächst das Ressentiment des jungen Menschen gegen das Alte, Tradierte, Überkommene, gegen den alten Menschen, gegen den Erzieher, sei er Vater oder Mutter, sei er Lehrer oder Priester, gegen die Autorität schlechthin. Man kann sagen: Ein gewisses antiautoritäres Ressentiment liegt in der Luft und bestimmt die Atmosphäre; es bringt eine mimosenhafte Sensibilität des Jugendlichen mit sich, die wiederum eine bedachte und sorgfältige Redeweise des Erwachsenen verlangt. Vor einem Gespräch, im Gespräch ist ein ehrliches Hinhören auf den jungen Menschen verlangt, einmal um sich von der jungen Generation über ihren Standort belehren zu lassen, zum anderen aber um den Jargon der Jugend zu verstehen. Nur durch diese unvoreingenommene Aufmerksamkeit wird eine Gesprächssituation geschaffen, die durch Toleranz und Wohlwollen gekennzeichnet ist und nicht durch emotionale, unreflektierte Reaktionen beeinträchtigt wird.

b: Personalismus als Anliegen

Was sich seit Jahren in der Philosophie als Existentialismus, in der Theologie als Personalismus entwickelt, kommt im Bereich der Moral und Sittlichkeit als Ethos der personalen Echtheit zur Geltung.

In einer Welt der Geschäfte und Sachen erwacht als Reaktion und als notwendige Weise der Bewältigung der ohne Zweifel sachgerichteten, »materialistischen« Zeitsituation das Verlangen nach einer personalen Sittlichkeit, im Bereich der Begegnung der Geschlechter die Sehnsucht nach

einer Liebe, die sich frei weiß von äußerer Bindung und Institution, sieht sie doch darin den einzigen Maßstab ihrer Gültigkeit gefährdet: die lautere und spontane Einmaligkeit. Als Norm gilt deshalb die subjektive Norm, »der Wert für mich«, und nicht zuerst »das Gute in sich«. Den allgemeinen Prinzipien und moralischen Imperativen, die als menschenfeindlich verdächtigt werden, zieht man die subjektiv-emotionale Wegweisung und Gewißheit vor, eine Art personalen Instinkts.
In diesem Anliegen eines subjektiven Personalismus, das in der Abkehr von einer Welt der Sachen und Geschäfte begründet ist, steckt der zu bejahende Anspruch, Seele statt Sache zu gewinnen, Liebe statt käuflichen Sex zu konsumieren, dem nicht durch offenbare Sachlichkeit auferlegten Zwang zu entfliehen und den je eigenen Bereich des Intimen zu schützen.

c: Leib und Leibgefühl

Leib und Leibgefühl spielen heute eine große Rolle[4]. Der Leib wird nicht mehr als Ballast empfunden oder als Abzutötendes weggestellt, sondern in seiner lebendigen, schönen Ganzheit bejaht. In Annahme des Leibes wird echt menschliche Freude ermöglicht, die in der Bewegung bei Tanz und Sport, im Erlebnis von Wind, Wasser und Sonne, endlich in körperlicher Nähe, in erobernder Bewunderung und in der Lust des Leibes erfahren wird. Dem Leib kommt, wobei menschlicher Leib mehr ist als Körper schlechthin, als neuem Erfahrungsbereich große Bedeutung zu. Das Selbstverständnis des Menschen wird nicht mehr intellektualistisch oder manichäistisch verfremdet, sondern spiegelt die ontologische Realität des Menschen als eines Wesens, das Geist in Leib ist.
Nun aber erlebt der Mensch seinen Leib nicht unmittelbar als seinen eigenen Leib. Denn in das Erleben und Empfinden fließt die Interpretation des Leibes von seiten der Umwelt mit ein. Schmerz, Lust, Scham, Empfindung, Anmut, Schönheit sind von der sozialen Umwelt geprägt und

mitbestimmt. In unbewußter Annahme oder ebenso unbewußter Ablehnung zum Beispiel eines einseitigen Sexualismus wird der naive Besitz des Leibes überformt. So kann es sein, daß das als Merkmal einer ganzheitlichen Menschwerdung wertvolle Leibgefühl aufgrund milieubedingter Determination sich in einem gewissen Exhibitionismus ahnungslos aufspielt oder ebenso ahnungslos in dumpfer Prüderie versinkt.

Daraus ergeben sich Konsequenzen. Die Außenseite der Begegnung der Geschlechter muß keineswegs mit ihrer sittlichen Innenseite übereinstimmen. In der bewertenden Beurteilung mancher Sitten ist Zurückhaltung geboten, zumal dann, wenn Bräuche früherer Generationen – zumal der viktorianisch-wilhelminischen Epoche – bedenkenlos geringgeachtet werden. Die Leibempfindung wird wahr- und ernstgenommen und oft von seiten des jungen Menschen als Maßstab der Bewertung seiner Liebe herangezogen.

2. *Die Praxis des Gesprächs und seine Ansatzpunkte*

a: Der Widerspruch der Ziele

Weithin wird man bei jungen Menschen kaum eine reflektierte Regel des Verhaltens für die Begegnung finden. Entweder ist der Stil der Begegnung das Ergebnis der Geschichte der weitaus hilfloseren als geglückten Liebe oder das Resultat einer unbewußten, vom Sozialprestige oder Konformitätsdruck diktierten Übernahme der Standards, die in einer Gleichaltrigengruppe oder im sozialen Milieu (Schule, Betrieb) gelten.

Es wäre ratsam, in einem Gespräch jene Tendenzen zu erhellen, die die Begegnung motivieren. Erste Fragen könnten lauten: Was suche ich in der Begegnung, in dieser Zärtlichkeit, bei jener Annäherung? Suche ich mich selbst? Suche ich den anderen? Suche ich meine Befriedigung? Suche ich das Glück des anderen? Suche ich mein Glück am Glück des anderen vorbei? Und weiter: Warum suche ich das? Ich frage also nicht nur nach dem Objekt, sondern auch nach den Motiven des Strebens. Ist es Liebe, was mich bewegt? Ist es Begierde? Ist es Einsamkeit, was mich zum anderen treibt? Ist es der Drang nach Prestige, Hilflosigkeit, echtes Für-den-anderen-dasein-Wollen? Aus der Klärung der Motive entspringt die Selbstkritik.

Im Gespräch macht man im allgemeinen die Erfahrung sich widersprechender Gefühle, Erwartungen und Ziele, die der junge Mensch erstaunt, teilweise sogar erschreckt, zum erstenmal wahrnimmt. Wahrscheinlich hatten ihm die Unruhe seines Gewissens und die Unsicherheit über die Geordnetheit seines Tuns schon Hinweise auf den Widerspruch gegeben. Nun kommt ihm die Unordnung klar zum Bewußtsein.

Es geht dabei – nehmen wir einmal das Beispiel des vorehelichen Verkehrs – um die Erwartung, daß der Jugendliche auf seine Kosten komme, etwas »erfahre«, sich Prestige verschaffe, sich abreagiere, dem anderen Zärtlichkeit und Liebe erweise – und widersprechend dazu, um die andere Erwartung, daß er eine Partnerin oder einen Partner finde, der anders ist als die anderen, der der Bewunderung wert ist, der die oft verdrängte, weil verlachte Tugend besitzt, sich zu verweigern, der im besten Sinn des Wortes »teuer« ist.

Obgleich in der je neuen Erfahrung des Widerspruchs Groll und Freude untrennbar gemischt sind, kommt doch eine Unruhe auf, die nicht das schlechteste Zeichen eines wachen und aufgeweckten Gewissens ist. Sie würde sich dann in solchen Sätzen formulieren: Ich zerstöre mich und mein Glück, wo ich nur an mich denke. Ich sage eigentlich Du, wo ich liebe, hier aber sage ich immer nur, immer wieder Ich. Eigentlich suche ich Glück und Liebe des anderen, hier aber suche ich nur seinen Körper und darin meine eigene Befriedigung.

Der junge Mensch erfährt in einem solchen Gespräch, daß er im letzten mehr sucht, als er konkret anstrebt; daß in ihm eine Ahnung von Größerem und Beglückenderem liegt; daß er sich mit Vorläufigem abfindet, da er nicht zu warten vermag. Er ist beschämt. Das will ich gar nicht, sagt er dann. So hörte ich es von einem jungen Mann, dem klarwurde, daß er seine Freundin, die er zu lieben meinte, wie eine Sache behandeln wollte. Es wäre gut, den Widerspruch nicht aufzulösen, sondern den jungen Menschen gleichsam darin hängen zu lassen. Er mag selbst vom Indikativ zum Imperativ finden, aus der Analyse seines widersprüchlichen Verhaltens zu einer selbstkritischen Konsequenz.

b: Der personalistische Akzent

Größe und Grenze des Personalismus kann man im Gespräch herausarbeiten und dadurch den jungen Menschen zu jener Bedachtsamkeit führen, die in verantworteter Entscheidung gründet.

Die Größe des personalistischen Akzents in der Begegnung spricht sich aus im Ethos einer Liebe, die ewig jung, spontan, ausgelassen, zugleich ehrlich, aufrichtig ist und die der Treue nicht bedarf; die von sich aus alle Anfechtungen besteht und jedes Wagnis siegesgewiß eingehen kann. Hier muß der erwachsene Gesprächspartner zuerst zu einer echten Bewunderung für die Schönheit einer solchen Liebe gefunden haben, um dann mit wohlwollender Distanz die Fragen einer solchen Begegnung besprechen zu können. In dieser personalen Liebe handelt es sich nämlich aufs erste weder um einen verkappten Hedonismus noch um eine sich gefällig ausspielende emotionale Haltlosigkeit; sie ist ebensowenig eine routinierte Begegnung, die sich in sexueller Technik erschöpft. Der Anspruch des jungen Menschen zeugt von nichts anderem als von der Vitalität des jungen Lebens, von dem notwendigen jugendlichen Idealismus und von dem Glauben an die große, an die einmalige Liebe. Die Sexualität versucht man in diese Liebe zu integrieren; Sexus wird durch Eros überformt, die fragmentarische Lust durch die universal-geistige Liebe sublimiert.

Im Gespräch wird es angebracht sein, den Zusammenhang zwischen Leib und Liebe aufzuweisen, etwa in dieser Art: Liebe als intimverborgene Zuwendung des Herzens lebt von der Äußerung. Eine Liebe, die sich nicht äußert, wird nicht geglaubt. Liebe lebt vom Zeichen. Die Zeichen unterscheiden sich in ihrer Eindeutigkeit. Der Kuß, die Zärtlichkeit, die Nähe, das Schweigen, das Gespräch, das Geschenk, der Gruß, die Bewunderung, ja der Verzicht sind Zeichen der Liebe. Durch eine solche Gedankenführung wird versucht, die heute weithin unbekannte Kultur der Zärtlichkeit herauszustellen und das letzte wortlose Zeichen der ehelichen Hingabe in die menschlich-ganzheitliche Partnerschaft einzufügen. Alles, was als sogenanntes Liebesspiel gilt, wird als Zeichen der Liebe verstanden und von daher gerechtfertigt, insoweit es dem Partner (in seiner personalen Würde) gerecht und nicht durch die eigene Begierde fragwürdig geworden ist.

Die Frage nach dem Motiv der Liebesgeste wird sich spontan aufdrängen: Was suche ich in dieser Zärtlichkeit, in jenem Kuß? Ist er gültiges Symbol meiner personalen Liebe oder nur kaschierter Ausdruck meiner ichbezogenen Leidenschaft? Ein gutes Wort der Unterscheidung lautet: »Nichts ist der Liebe ähnlicher als die Begierde und nichts der Liebe unähnlicher als die Begierde.«

In einem weiteren Schritt des Gesprächs wäre eine gefährliche Einseitigkeit des Personalismus herauszuarbeiten; denn er realisiert nicht immer, daß die Person in die Gemeinschaft eingebunden ist, daß dort, wo ich von Person rede, ebenso und im gleichen Atemzug von Gemeinschaft, mit mehr anthropologischen Kategorien gesagt: vom sozialen Wesen und vom sozialen Bezug der einmaligen Person gesprochen werden muß. Dieser soziale Bezug findet sich ebenso gültig bei dem Paar, das in der Liebe eins wird.

In diesem Zusammenhang erhebt sich die Frage: Realisiert das junge Paar, daß es auch als diese beiden Liebenden vor der Gemeinschaft steht und seine Liebe vor der Gemeinschaft, der Gesellschaft zu verantworten hat? Leuchtet dies den Liebenden nicht ein, dann kann von einem echten Personalismus nicht mehr die Rede sein; es müßte von einem Individualismus gesprochen werden. Es wird nämlich das eigene Leben gesucht an jener Gemeinschaft vorbei, die ein begründetes Interesse hat, die sexuelle Sphäre zu ordnen und die Beziehungen der Liebenden zu stabilisieren. Das schier unlösbare Problem besteht darin, daß die heutige Industriegesellschaft und der sie ordnende Staat als Gemeinschaft anonym sind, daß sie sich weder in Personen noch in Symbolen greifbar und begeisternd darstellen, so daß ihnen gegenüber nur selten Verantwortung empfunden werden kann. Wie kann man zu einer Lösung dieses Problems gelangen? Vielleicht durch eine gute politische Erziehung, durch ein soziales oder politisches Engagement.

Auf einer anderen Ebene zeigt sich eine weitere Grenze dieses Personalismus, dort, wo man nicht wahrhaben will, daß die Liebe fruchtbar werden will und fruchtbar werden wird. Der Film »Es« beschäftigt sich mit diesem Problem. Eine Liebe, die selig in stürmischer Zärtlichkeit anhebt, endigt darin, daß die Frucht dieser bewundernswerten, personalen Liebe als Sache deklariert wird: Es. Person Kind wird zum Es, der Mensch zur Sache, die Liebe fertigt ein Produkt. Nun muß man einräumen, daß dieser Begriff »Es«, der die Verfremdung der Liebe ermöglicht, der sie ebenso aus der Not befreit wie in ihrer Seligkeit zerstört (nämlich in der Abtreibung des Kindes), von der Welt der Geschäfte angeboten und von den beiden Liebenden ohne Bedenken übernommen wird. Im Film »Es« werden von Berliner Ärzten Argumente gegen die Abtreibung vorgebracht, von sozialer Sicherstellung der ärztlichen Praxis bis zur gesundheitlichen Schädigung der jungen Mutter. Aber das personale Argument, das Kind sei Geschenk beider Gatten, in ihm werde die Liebe, ihre Liebe, unsterblich, wird bedauerlicherweise weder ausgesprochen noch angedeutet. Also doch nur ein verkürzter Personalismus, der darin zu einem Egoismus zu zweien wird?

Im Film »Eine junge Welt« liegt eine ähnliche Problematik vor. Auch in diesem Film wird die gedankliche Verbindung vom geliebten Mann zum Kind nicht gezogen. Dies deutet darauf hin, daß die Welt der Geschäfte die Welt der Liebe überlagert und verdeckt. In »Eine junge Welt« ist es allerdings mehr die Welt der Männer, jene Welt der Kriege, der

Affairen, der Abenteuer, der Unsicherheit und der Angst (Schlachtengemälde in den Zimmern der beiden Damen, die sich zur Abtreibung herrichten; Schlußbild des Films: Wildwestszenen), die es eben schwer macht, ein Kind zu verantworten. Carlos, der jugendliche Held, sagt: »Ich habe Angst. Wir können es nicht verantworten!« Will aber eine Liebe wirklich Liebe zwischen Personen sein, in der Personalität sich in verantworteter Freiheit wie in wahrem Glück offenbart, dann muß längst die Liebe verantwortet sein, bevor ein Kind verantwortet werden muß. Sonst »unterläuft« dem Paar ein Kind. In dieser Verantwortungslosigkeit wird der Personalismus fragwürdig.
Von diesem Gesichtspunkt her gilt es im Gespräch den an sich bewundernswerten Personalismus in den sozialen Bezug des Menschen einzuordnen und darin erst zu »vermenschlichen«. Wird er nicht eingeordnet, dann tilgt er alles, was zwischen den Liebenden stehen könnte; er ist ausschließlich. Er wird jeweils gefährdet und wirkt zerstörerisch, sei es, indem er »es« abtreibt, sei es, indem er die Seligkeit der Liebe austreibt. Es erfüllt sich darin, was C. S. Lewis in *Vier Arten der Liebe* so formulierte: »Der aufrührerische Schlachtruf ›Alles für die Liebe‹ ist in Wirklichkeit der Liebe Todesurteil (das Datum der Hinrichtung wird vorderhand noch offengelassen).«[5]

c: »Natürliche« Ordnung als anonyme göttliche Ordnung

Bisher war weder von Gott noch von einem Gebot, vor allem nicht vom sechsten Gebot die Rede. Die anthropologische Betrachtungsweise von Liebe und Begegnung trägt ebensoweit als die Darstellung indiskutabler Imperative, zumal man leichter an das unmittelbare Empfinden des heutigen jungen Menschen anknüpfen kann und weniger mit Ressentiments zu rechnen hat.
Im Gespräch wäre nun zu fragen: Worin liegt der Sinn der Liebe? In der Beantwortung dieser Frage können die Unterscheidungen, die Fritz Leist[6] macht, zu einer Klärung beitragen. Man beschreibt die aufsteigende Stufung eines

Liebesverhältnisses: »Es drängt mich«, »Du bist ich«, »Ich liebe dich, weil du schön bist«, »Ich liebe dich, weil du du bist« – und unterzieht darin das Liebesverlangen und die konkrete Liebe des jungen Menschen einer Kritik. Bei einer derartigen Analyse hören die Jugendlichen gewöhnlich aufmerksam zu; sie ziehen Vergleiche zu sich selbst. Wahrscheinlich wird dem jungen Menschen, der plötzlich einsilbig wird, klar, daß er sich bisher in Anspruch und Äußerung seiner Liebe mißverstand.

In der »natürlichen« Ordnung, die immer eine geschichtlich gewordene und eine sozial-ökonomisch bedingte ist (gerade in ihrer Geschichtlichkeit zeigt sich ihre Natürlichkeit – und das eine ist keine Instanz gegen das andere!), kann das, was man Schöpfungsordnung nennt, verstellt sein; dennoch erfährt der Mensch in der Polarität der Geschlechter, im Streben nach Liebe, Geborgenheit und Begegnung, in seliger Bestätigung eines erfüllenden Glücks etwas von der Ordnung Gottes, die den Menschen meint. Indem der Mensch – auch gemäß der Wachheit seines Gewissens – diese »Ordnung« erfüllt, geht ihm (jenseits des sozialen Gewissens, das sich nur die Erfüllung von sozialen Standards zugute hält) in der unbestrittenen Freude und Seligkeit einer Liebe, vor allem in der Ruhe seines Gewissens (in dem er vor ein Absolutes und einen absoluten Anspruch gerät) etwas von der Gutheit seines Tuns auf. Die Gewissensruhe gibt Sicherheit und bestätigt. Die Analyse der Gewissensunruhe führt dazu, der Fragwürdigkeit der verstellten oder verminderten Werterkenntnis innezuwerden und in einer Reflexion zu einer vertieften Einsicht in die anonyme Gottesordnung zu gelangen.

Sollte – wie M. Mead ausführt[7] – etwa das jahrelang geübte Petting gesamtmenschlich nachteilige Folgen haben, zumal im Hinblick auf eine partnerschaftliche Liebesfähigkeit, kann dieses Verhalten unmöglich das von Gott gewollte sein. Die natürliche Ordnung, selbst wenn wir sie als Christen als gestörte Ordnung einer gefallenen Menschheit erkennen, muß insoweit dem Menschen dienlich sein, als sie ihm zum Heile (im gesamtmenschlichen Sinn verstanden) wird. Ein solcher Gedankengang ist natürlich nur dort nachvollziehbar, wo ein bestimmtes, positiv getöntes Gottesbild vorhanden ist. Es muß nicht notwendig der »statische« Gott einer unveränderlichen Naturrechtsordnung sein, der für seine Schöpfung einsteht. Es kann ebenso der (dynamische) Gott sein, der in allem ist und in allem wird (etwa im Sinn Teilhard de Chardins); es kann auch der Gott der Zukunft sein, der allem voraus ist und dessen Reich in der von ihm ermächtigten Liebe des Menschen ankommt. Für alle drei Gottesbilder bleibt die Frage gültig: Welches Gottesbild steht bei mir im Hintergrund, wenn ich mich vordergründig Normen[8] eines sexuellen Verhaltens gegenüberfinde? Habe ich den Mut, im Vertrauen auf den Gott der Ordnung, in der Liebe und Freiheit zu ihrer rettenden Gestalt finden, mich an diese Normen zu halten, oder werte ich, aufgrund eines verkümmerten Gottesbildes, den Anspruch einer sittlichen Ordnung ab, indem ich einen argwöhnischen, eifersüchtigen Gott vor mir zu haben meine, der mir das Wunder meiner Liebe und die Freude einer Zärtlichkeit mißgönnt? Besitze ich das rechte Gottesbild, dann leuchtet mir ein, daß Gott nicht nur jetzt, sondern immer meine Freude und mein Glück will, selbst dort, wo ich den Sinn eines Verzichts und die kritische Instanz eines Verbotes nicht unmittelbar begreife. Aus diesen Überlegungen wird klar, daß Sittlichkeit und Religiosität im letzten untrennbar verbunden sind[9].

Auf dieser Ebene wäre der Gedanke weiterzuführen: Oft wird vom jungen Menschen Gott mit der Kirche kontradistinguiert. Man sagt: Gott ist nicht kleinlich, er hat Verständnis für mich und mein Tun. Nur die Kirche ist kleinlich. Die alte Kirche von gestern hat kein Verständnis für den jungen Menschen von heute. Auch hier wird vom Menschen eine verkürzte göttliche Ordnung herangezogen, um sich selbst ein Alibi für sein Tun zu verschaffen. Nicht jede Autorität ist veraltet (selbst wenn die Skepsis gegen die Autorität der Kirche mehr als verständlich ist). Sorge und Weisung der Kirche gelten dem Menschen und nicht dem Nachweis ihrer Berechtigung in dieser Zeit. Erkenne ich mich selbst als Sinn des Heilswillens und des Heilswirkens der Kirche, die beide auf einen ganzheitlich verstandenen Menschen abzielen, dann kann ich der Kirche nicht von vornherein jede glaubwürdige Weisung streitig machen. Ich müßte mich mit ihrer Weisung auseinandersetzen, mich – nach Maßgabe meines Gewissens als der letzten sittlichen Norm – für oder gegen sie entscheiden. Ein Apriori macht es sich vermutlich zu leicht und ist oft nichts anderes als die Rechtfertigung eines Menschen, der sich die Selbstkritik ersparen will.

d: Der Imperativ einer echt menschlichen Begegnung

Begegnung sucht das Glück des Partners, und zwar in der Ganzheit einer menschlichen Existenz, die als eine geschichtlich sich entfaltende Existenz gerade in der modernen Philosophie immer mehr wahrgenommen wird.
Angesichts der Begriffe von »Geschichtlichkeit« und »Zukunft« muß die Gefahr der Sentimentalitäten erkannt werden, die durch die Schlager, Romane, Filme vor allem dem jungen Menschen nahegebracht werden. Sentimentalität verkürzt die Schwingung des Gefühls und verschüttet die Tiefe des wertempfindenden Gemüts. Sentimentale Schlager sind die Vehikel einer auf den schönen Augenblick fixierten, verkürzten Existenz. »Mit siebzehn hat man noch Träume . . .«, »Junge Leute fragen nicht, was man darf und kann . . .«, »Mit sechzehn fängt das Leben an . . .«, »Siebzehn Jahr, blondes Haar« – Suggestionen, die die Jugendlichkeit überbewerten und in einem Puerilismus enden. Diese Sätze aus modernen Schlagern insinuieren eine Ideologie, die das Leben als eine verantwortete Ganzheit aus dem Auge verloren hat und die Liebe als Rechtfertigung in sich selbst, jenseits von Gut und Böse, hinstellt. Lebe ich aber als Mensch verantwortlich vor meiner Zukunft, dann werde ich meine Gegenwart so gestalten, daß ich darin meine Zukunft nicht verwirke.
Kann man aber die innere Einstellung des jungen Menschen insoweit abklären, als er einerseits für seine einmalige und

irreversible Lebensgeschichte einstehen will und andererseits die Verantwortung für das ganze Leben seines Partners übernehmen will, dann werden Ernst und Verantwortung geweckt[10]. Zur Gesprächsführung diese Hinweise: Kann ich dieses oder jenes, was ich tue oder zulasse, vor meiner Zukunft verantworten? Lebe ich im Augenblick, oder ist mein Leben Geschichte? Suche ich dem Augenblick zu entfliehen, um ihn nicht verantworten zu müssen? Nur dort kann von einer echt menschlichen Begegnung die Rede sein, wo man für den Partner als geschichtliches Wesen einzustehen bereit ist; sonst löst man in einer existentiellen Schizophrenie (Schizophilie?) das Leben des anderen in geschichtlich unverbundene, isolierte Augenblicke auf, die man konsumieren kann. Happen des Glücks!

Bei einem Gespräch, in dem ich den Menschen als Ganzes zu würdigen suche, ergibt sich von selbst der Übergang zu dem Gedanken, daß Sittlichkeit und Nächstenliebe für den Christen eine untrennbare Einheit bilden. Ich begegne meinem Partner nicht nur als Geliebten, sondern ebenso als einem Nächsten. Dieser Nächste, den ich lieben soll, ist Bruder und Schwester Christi, ist Christus selbst, wenn ich die Worte Jesu in der Gerichtsrede bei Mt 25, 40 nicht abschwäche. Diesem Partner habe ich gemäß dem neuen Gesetz Christi zu begegnen, gemäß der Liebe, in die ich meine humane Liebe zu integrieren habe. Letztlich aber komme ich von der Nächstenliebe zu dem einfachen Satz der sogenannten goldenen Regel, die Lukas so überliefert: »Was ihr wollt, daß euch die anderen tun, so tut auch ihr ihnen« (Lk 6, 31). In der Gesprächssituation taucht sie in anderem sprachlichen Gewand auf: Du willst echt angenommen sein, du willst ohne Vorbehalt geliebt sein, du willst nicht Sache und Apparat werden, sondern Person mit Herz, Gesicht und Geschichte sein, du willst nicht heute geliebt und morgen vergessen sein: Was du willst, daß man dir tue, das tue du dem anderen. Hierin aber wird ein nach Weltweisheit klingender sittlicher Imperativ in eine christliche Ethik zurückgeführt (das Humane wird christlich begründet und überhöht); denn der, dem ich gemäß der goldenen Regel

meine Liebe schenke, ist kein anderer als mein Nächster. »Wer ist sein Nächster?« fragte Christus, nachdem er das Gleichnis vom barmherzigen Samaritan erzählt hatte. Jener, »der ihm Barmherzigkeit erzeigt« (Lk 10, 37), jener, der echte, selbstlose Liebe erwies[11].
Eines wird hier klar: Ich stehe auch als Liebender vor Christus. In diesem Zusammenhang stellt man mit Bedauern fest, daß für viele junge Menschen der Bereich von Liebe und Sexualität oft – und nur – eine Chance zu »sündigen« und darin mit dem anderen das gemeinsame Heil und die unteilbare Gnade zu verlieren darstellt. Eigentlich sollte ich und der andere mit mir gerade hier auch zu dem gemeinsamen Heil und zu der verbindenden Gnade finden, die sich mir in der Liebe in gewinnender Weise ansagen. Diese innerste Erwartung aufzutun, hin auf den Gott, zu dem uns unsere Unruhe immer wieder treibt (Augustinus), wird die größte Kunst eines Gesprächs sein. Im Gespräch vom großen Glück, von einem Glück, in dem anonym Gott gemeint ist, wird offenbar, daß hier ein Ansatzpunkt liegt, nicht nur die Unvollkommenheit menschlicher Liebe, sondern auch deren sittlich zu verantwortende Eingrenzung zu bejahen.

e: Gemeistertes Leben als Leitmotiv

Man kann heute leicht Gespräche mit jungen Menschen über diese heiklen Fragen führen, wenn man nicht droht, nicht mit erhobenem Zeigefinger warnt, nicht den Teufel an die Wand malt. Angst als Erziehungsmittel ist – Gott sei Dank – als fragwürdig erkannt und abgetan. Die Angst vor dem Kind wird zudem durch den Gebrauch empfängnisverhütender Mittel genommen. Die Angst vor Geschlechtskrankheiten wurde aufgrund der Hygiene und modernen Medizin nahezu beseitigt. Die Angst, seinen guten Ruf zu ruinieren, nimmt in dem Maß ab, wie die soziale Kontrolle eines Milieus schwindet. In der Vergangenheit haben sich diese Argumente sowieso als schwache Argumente erwiesen. Verständlicherweise macht daher Angst auf den jungen

Menschen von heute einen geringen Eindruck – und das ist nicht zu bedauern.
Besser wird es sein, den jungen Menschen zu locken, ihm das positive Beispiel eines geglückten Lebens darzutun, das Ideal einer großen Liebe, gemäß seiner uneingestandenen Erwartung, zu wecken und dadurch die sittliche Forderung zu formen: das Leben als ein Liebender zu meistern – aus jener Freiheit heraus, die sich sowohl dem Konsumzwang wie den verfälschten Ideologien, wie veralteten Normen entwunden hat. Welcher junge Mensch aber möchte sich nicht einem Anspruch ausgesetzt sehen, der ihn voll und ganz ernst nimmt?

3. Prinzipien der Gespräche

a: Man sollte die Begegnung der Geschlechter nicht aus der Gesamtaufgabe der Selbsterziehung herauslösen. Dadurch wird vermieden, Sexualprobleme zu fixieren. Es wird allem und jedem sein ihm gebührender Ort zugewiesen: der Liebe, dem Leib, der Begegnung, dem Willen, der Ordnung, der Ehrfurcht, der Nächstenliebe, Christus, Gott ...
b: Man sollte die Begegnung der Geschlechter unter dem Ziel sehen, auf das hin sie geschieht: in ihrer Liebe gereifte Menschen. Aus dem Ziel ergibt sich eine vertiefte Verantwortlichkeit und die Auffassung des Menschen als einer geschichtlichen (mit Vergangenheit, Gegenwart und Zukunft) und seinsmäßigen (in Natur und Gnade) Ganzheit. Liebe ist eben in der Tat kein »Kinderspiel«.
c: Man sollte die Begegnung der Geschlechter nicht zuerst als eine Möglichkeit sittlicher Verfehlung sehen, sondern als echte Aufgabe des Heiles jener zwei, die sich nach Gottes Willen finden.
Gemäß diesen Prinzipien wird das Gespräch dem jungen Menschen zu jener Liebe verhelfen, die er ersehnt. Es wird auch den Erwachsenen erneut vor jene letzten Fragen stellen, die in seinem Leben beantwortet sein wollen; denn auch er ist und bleibt ein Liebender.

Nachwort

Fertige Rezepte wird es für die Sexualerziehung in Familie, Schule und Jugendarbeit, – über Letztere wurde in diesem Buch kaum ausdrücklich gesprochen – nicht geben. Mehr als anderswo bleibt im Erziehungsfeld der Versuch eine genuine Methode; um so höher sind zu bewerten: Phantasie, Initiative, Sensibilität im Ertasten einer Situation, Offenheit für das Kommende, Wagnis des Ungewohnten, pädagogischer Takt und Unterscheidung der Geister. Diese Tugenden und Fertigkeiten lassen sich schwer erlernen, machen eine Kunst aus und sind zudem wenig beliebt; denn sie sprengen geschlossene Systeme jedweder Art, weil sie zwischen Werttradierung und Anpassung die einzige Chance des »Aggiornamento« erzwingen. Bei allem damit gegebenen Nonkonformismus wird jener Gehorsam höherer Art, der dem Ruf der Stunde und dem Anspruch des Menschen (der mein Nächster ist) sich unterwirft, allein den Weg in die Zukunft eröffnen. Wenn aber eine Ideologie den Weg in eine humane Zukunft verstellt, dann ist es der Glaube an die Machbarkeit aller Dinge. Der technische Mensch, der bis zum Mond fährt, wird deshalb dort zum Ikarus werden, wo er sich der Sonne der Liebe nähert. Dort wird er scheitern, weil er die Rätselhaftigkeit der Existenz bewältigt und das Geheimnis des Menschen einkalkuliert glaubte. Erst der Sturz aus dem Plan, erst die Brüchigkeit der Technik, erst die Enttäuschung an seiner eigenen Grenze wird ihn von der Gnadenhaftigkeit des Daseins und vom Geschenkcharakter der Liebe überzeugen. Ist aber so der Mensch gereift und hat er zum fließenden Gleichgewicht zwischen den Polaritäten seiner Existenz gefunden, dann kann er sich an das große Wort Augustins halten, ohne Gefahr zu laufen, es als Willkür mißzuverstehen. Augustin sagte: Ama et fac quod vis – Liebe und tu, was du willst.

Anmerkungen

I. Revision der Mutmaßungen und Vorurteile

1 M. Lütgenhorst, Das Leben zu zweit ist kalter Kaffee: Twen 1969/4, 108–119; Miss Kommune und ihr Leben zu acht: Twen 1969/9, 7–10; Kommune international: underground 1970/5, 8–9; Rückzug im Frieden: ebd. 10–13.

2 Zelte für die erste Liebe: Stern 1969/Nr. 32, 86–87; H. Brandt Freie Liebe im Jugendlager: Konkret vom 25. 8. 1969, 20–25; W. Schmitz, Daumen im Mund heißt: Ich liebe Dich: underground 1969/10, 50–53.

3 H. Kentler / Th. Leithäuser / H. Lessing, Jugend im Urlaub, Weinheim 1969; P. Bácher, Urlaub zu zweit: Twen 1968/9, 47–49.

4 Über diese Gruppen wird des öfteren berichtet in: Twen, underground, Konkret, Pardon.

5 R. Palm, Die neue Moral: Twen 1969/11, 11.

6 Kommune 2. Versuch der Revolutionierung des bürgerlichen Individuums, Berlin 1969, 130; vgl. H. Krieger, Leben im Kollektiv: Die Zeit vom 10. 4. 1970. Im übrigen lehnen die »Thesen zur Sexualkampagne« der AUSS (Juli 1969) ab, einfach Gruppensex zu fordern. Es gehe vielmehr um die Erotisierung aller Beziehungen in der politischen Gruppe, die sich – voll gleichberechtigt – in Gruppensex wie in sexuellen Zweierbeziehungen äußern können (Die Sexualkampagne der AUSS: betrifft: erziehung 2 (1969) 11, 32).

7 G. Schmidt, Jugendsexualität und Sexualerziehung: betrifft: erziehung 1970/4, 14; ders. Empirisch-psychologische Ergebnisse der Sexualforschung, in: H. Giese (Hrsg.). Die Sexualität des Menschen I, Stuttgart 1968, 56–106.

8 H. Giese / G. Schmidt, Studentensexualität. Verhalten und Einstellungen, Reinbek 1968, 116; vgl. ebenso: Uni-Sex. Die Hochschulen und die Liebe: Twen 1968/11 und 12, 1969/1; Treue und Triebe: Der Spiegel vom 15. 4. 1968, 80–82.

9 M. Schofield, Das sexuelle Verhalten junger Leute, Reinbek 1969, 222.

10 Wie bei Würdigung dieser Tatsachen H. Bacia von einer »belegbaren Zunahme von Promiskuität vor der Ehe« sprechen kann, ist mir gänzlich unverständlich (H. Bacia, Themen zur Sexualität, Bochum o. J., 87).

11 A. C. Kinsey, Das sexuelle Verhalten der Frau, Frankfurt 1970; ders., Das sexuelle Verhalten des Mannes, Frankfurt 1970; Vgl. die kritischen Äußerungen von: H. Schelsky, Verdunke-

lung und Gegenaufklärung in der Sexualität: Psyche X (1956) 937–955; W. Hochheimer, Aufklärung und Gegenaufklärung in der Sexualanthropologie: Psyche X (1956) 763; ders., Viel Lärm um Normen der Sexualität: ebd. 856–867; H. Lutz, Das Menschenbild der Kinsey-Reporte, Stuttgart 1957; G. Trapp, Das Menschenbild eines Zoologen: Anima IX (1954) 155–164; A. Böhm, Das Zeitalter der Indiskretion: Wort und Wahrheit IX (1954) 181–193.

12 G. Schmidt, Jugendsexualität und Sexualerziehung, a. a. O. 13; Arbeitersex: Geht ja weiter: Der Spiegel vom 24. 3. 1969, 100 bis 102.

13 G. Schmidt, a. a. O. 13.

14 R. R. Bell, Voreheliche Sexualität, Reinbek 1968, 137.

15 O. Brüggemann, Sexuelle Konflikte in Gymnasien, Heidelberg 1967, 71.

16 O. Brüggemann, a. a. O. 74.

17 V. Graf Blücher, Die Generation der Unbefangenen, Düsseldorf 1966, 152; vgl. F. Neidhardt, Die junge Generation, Opladen 1967, 67/68.

18 I. Haas, Heute ist es anders, München 1968, 203–205.

19 E. Göbel, Mädchen zwischen 14 und 18, Hannover 1964, 95/96, 100, 105, 115, 361 ff.

20. W. Küppers, Mädchentagebücher der Nachkriegszeit, Stuttgart 1964, 299/300.

21 H. Bertlein, Das Selbstverständnis der Jugend heute, Hannover o. J. 97–99.

21a Wie die neueste Enquête unter der deutschen Landjugend ergibt, hat sich bei der Bewertung der vorehelichen Beziehungen keinesfalls eine „sexuelle Revolution" abgespielt (vgl. U. Planck, Landjugend im sozialen Wandel [München 1970] 176 bis 180, 277): »Die überwiegende Mehrheit möchte den Geschlechtsverkehr der Ehe oder dem künftigen Ehepartner vorbehalten wissen« (180).

22 H. Giese / G. Schmidt, a. a. O. 393–394.

23 G. Schmidt, a. a. O. 14.

24 H. Giese / G. Schmidt, a. a. O. 396–399.

25 M. Schofield, a. a. O. 135; Deutsche Jugendliche gaben ihre Einstellungen in: Junge Menschen 1964 (Bielefeld 1966) 92–94 den EMNID-Interviewern kund.

26 M. Schofield, a. a. O. 136.

27 M. Schofield, a. a. O. 217.

28 M. Schofield, a. a. O. 217.

28a In der »FAZ« vom 6. 2. 1971 wurde über eine Enquête berichtet, in der 2010 Oberschülerinnen (14–19 Jahre alt) Schleswig-Holsteins über die »Pille« befragt wurden. Das Ergebnis lautet: »Von den Vierzehnjährigen nehmen 0,4 Prozent die Pille, von den Fünfzehnjährigen 1,5 Prozent, aber bei den Sechzehnjährigen sind es schon 6,6 Prozent. Von den siebzehnjährigen Mädchen schlucken 16,6 Prozent die Pille, während bei den Achtzehnjährigen fast jede vierte, nämlich 24,6 Prozent Ovulationshemmer nimmt. Die Neunzehnjährigen sind mit 23,8 Prozent etwas zurückhaltender.« Zum Problem vgl. S. 102–103.

29 Vgl. A. C. Kinsey, Das sexuelle Verhalten des Mannes, a. a. O. 449–469; ders., Das sexuelle Verhalten der Frau, a. a. O. 143 bis 179; C. B. Broderick, Kinder- und Jugendsexualität, Reinbek 1970, 47–48, 74–78.

30 G. Schmidt, a. a. O. 12.

31 G. Schmidt, a. a. O. 12.

32 G. Schmidt, a. a. O. 12.

33 H. H. Muchow, Sexualreife und Sozialstruktur der heutigen Jugend, Reinbek 1960, 94.

34 M.Schofield, a. a. O. 43, 46.

35 G. Schmidt, a. a. O. 13.

36 H. Giese / G. Schmidt, a. a. O. 88/89.

37 G. Schmidt, a. a. O. 13. Eine anderslautende Beurteilung – vor allem von amerikanischen Verhältnissen ausgehend – bieten G. und F. Hechinger, Die Herrschaft der Teenager, Gütersloh 1965, 65–67.

38 M. Schofield, a. a. O. 65; vgl. über die Häufigkeit der Homosexualität bei Männern, A. C. Kinsey, Das sexuelle Verhalten des Mannes, a. a. O. 588–593.

39 H. Giese / G. Schmidt, a. a. O. 178.

40 H. Giese / G. Schmidt, a. a. O. 172.

41 H. Giese / G. Schmidt, a. a. O. 173; vgl. zum Problem: K. Freund, Homosexualität, Reinbek 1969.

42 R. Palm, Die neue Moral: Twen 1969/11, 11; vgl. dazu Twen-Moral 68: Twen 1968/5.

43 R. Palm, a. a. O. 8. Ein typisches Beispiel für eine »veröffentlichte« Meinung scheint mir zu sein: G. Hunold, Schulmädchenreport, München 1970; vgl. dazu: Schöne Arbeit: Der Spiegel vom 6. 4. 1970, 57.

44 E. Pfeil (Hrsg.), Die 23jährigen, Tübingen 1968, 31–175.

45 Vgl. dazu Kapitel V. Ernsthaft setzt sich gerade mit dem Problem der Differenz zwischen Einstellung und Verhalten H. T. Christensen in: Sexualverhalten und Moral (Reinbek 1971) auseinander. Ob man die Einstellungen den Verhaltensmustern anpaßt oder durch soziale Kontrolle das Verhalten den Werten anzugleichen versucht, liegt in einer »Wertentscheidung, ob man Innovation oder Reaktion begünstigen soll. Jede Lösung aber muß eine Verminderung der Diskrepanzen zwischen Einstellungen und Verhaltensmuster einschließen« (145).

II. Last und Verhängnis der Geschichte

1 J. van Ussel, Sexualunterdrückung, Reinbek 1970, 7; eine primitive Verzerrung der geschichtlichen Wahrheit (als einseitige Darstellung einer histoire scandaleuse) findet sich in: J. Kahl, Das Elend des Christentums, Reinbek 1968, 49–59.

2 D. S. Bailey, Mann und Frau im christlichen Denken, Stuttgart 1968; H. Ringeling, Theologie und Sexualität, Gütersloh 1968; W. G. Cole, Sexualität in Christentum und Psychoanalyse, München 1969; H. Klomps, Ehemoral und Jansenismus, Köln 1964.

3 H. Schilgen SJ: Du und Er, Düsseldorf 1928.

4 Vgl. das wissenschaftliche Buch von Chr. Rhode-Dachser, Struktur und Methode der katholischen Sexualerziehung, Stuttgart 1970, und die polemische Broschüre von H. Schwenger, Antisexuelle Propaganda, Reinbek 1969; ferner: F. Koch, Negative und positive Sexualerziehung, Heidelberg 1971.

5 A. Stolz, a. a. O. 48; A. v. Doß, a. a. O. 160.

6 Fr. W. Foerster, a. a. O. 46.

7 A. Stolz, a. a. O. 17–18.

8 A. Stolz, a. a. O. 248.

9 A. Stolz, a. a. O. 18, 107, 378; A. v. Doß, a. a. O. 134, 195, 453.

10 Fr. W. Foerster, a. a. O. 33.

11 H. Schilgen, Du und Sie, a. a. O. 79.

12 Fr. W. Foerster, a. a. O. 58.

13 H. Schilgen, a. a. O. 55; Fr. W. Foerster, a. a. O. 40.

14 H. Schilgen, a. a. O. 22.

15 A. Stolz, a. a. O. 11.

16 M. Müller, Grundlagen der katholischen Sexualethik, Regensburg 1966, 42–46; ders., Die Lehre des hl. Augustinus von der Paradiesesehe und ihre Auswirkung in der Sexualethik des 12. und 13. Jahrhunderts bis Thomas von Aquin, Regensburg 1954, 22–31.

17 M. Müller, Grundlagen, a. a. O. 46.

18 M. Müller, a. a. O. 48.

19 A. v. Doß, a. a. O. 163.

20 A. Stolz, a. a. O. 105–106, 115, 127.

21 A. v. Doß, a. a. O. 333–335.

22 A. v. Doß, a. a. O. 104–107.

23 H. Schilgen, a. a. O. 3, 4.

24 H. Schilgen, a. a. O. 16, 56, 203; Fr. W. Foerster, a. a. O. 42, 52; J. Schröteler, a. a. O. 61–68; Erstaunlicherweise findet sich die Lust-Last-Theorie noch in einem Beitrag von R. Peil, Sexualpädagogik im katholischen Religionsunterricht, in: Sexualpädagogik der Volksschule, Freiburg 1967, 249.

25 A. Stolz, a. a. O. 378.

26 H. Schilgen, a. a. O. 9–10.

27 H. Schilgen, a. a. O. 3–4.

28 A. Stolz, a. a. O. 21, 120–121, 217; H. Schilgen, a. a. O., 67, 83; Fr. W. Foerster, a. a. O. 54, 59.

29 A. Stolz, a. a. O. 119–120.

30 H. Schilgen, a. a. O. 52, 156; Fr. W. Foerster, a. a. O. 90.

31 W. Braun, Geschlechtliche Erziehung im Katholischen Religionsunterricht, Trier 1970. Braun urteilt über die Gesamtentwicklung so: »Die Untersuchung hat wohl gezeigt, daß die Katechetik ursprünglich eine offenere und freiere Position eingenommen hat. Sie hat sich erst im 18. Jahrhundert unter dem Einfluß der Philanthropen und Rousseaus wesentlich geändert. Vom Geschlechtlichen möglichst lange abzulenken und dem Aufkommen des Geschlechtstriebs entgegenzuwirken, war die Auffassung Rousseaus. Die Philanthropen wollten etwa das Gleiche mit einer geschlechtlichen Aufklärung erreichen, die als Schock wirken sollte. Auch von der Profanpädagogik, in deren Schlepptau die Katechese bis weit ins 20. Jahrhundert hinein war, wurden diese Positionen eingenommen« (a. a. O. 204/205). Die Ausführungen W. Brauns werden durch J. van Ussel (a. a. O. 176–188) vollauf bestätigt.

32 Um Sitte und Sittlichkeit. Ein Kommentar zu den katholischen Leitsätzen und Weisungen zu verschiedenen modernen Sittlichkeitsfragen, Düsseldorf 1926, 116–134.

33 A. Stolz, a. a. O. 72.

34 A. Stolz, a. a. O. 74.

35 Fr. W. Foerster, a. a. O. 89/90.

36 H. Schilgen, a. a. O. 159.

37 H. Schilgen, a. a. O. 159.

38 H. Schilgen, a. a. O. 159; A. Stolz, a. a. O. 122–123.

39 H. Schilgen, a. a. O. 163; ders., Du und Er, a. a. O. 274.

40 H. Kentler (und andere), Für eine Revision der Sexualpädagogik, München 1967, 30.

41 H. Cox setzt sich mit den verschiedenen amerikanischen Sexsymbolen (z. B. dem Play-boy und dem Girl) auseinander, in: Stadt ohne Gott?, Stuttgart 1966, 210–236.

III. Sexualerziehung und Weltanschauung

1 H. Kentler (Hrsg.), Für eine Revision der Sexualpädagogik, München 1967, 13 ff.

2 H. Schwenger, Antisexuelle Propaganda, Reinbek 1969; H. Fritz, Aufklärung auf katholisch: Aspekte 2 (1969) 7/8, 4–6.

3 Hier ist vor allem an jene Abschreiber zu erinnern, die in Illustrierten den Kinsey-Report – wie andere sexualsoziologischen Untersuchungen – moralisierend-demoralisierend ausmünzten.

4 Vgl. dazu W. S. Schlegel (Kapitel V, 4).

5 H. Roth, Pädagogische Anthropologie I, Hannover 1966, 273.

6 P. Lüth, Eros unter dem Seziermesser: Die Welt vom 12. 9. 1970. Beilage.

7 F. Böckle (Hrsg.), Das Naturrecht im Disput, Düsseldorf 1966.

8 H. Kentler, a. a. O. 10. Nun macht es gerade seine »Natur« aus, ein Kulturwesen zu sein.

9 Vgl. dazu H. Marcuse, Triebstruktur und Gesellschaft, Frankfurt 1967.

10 W. Reich, Die Funktion des Orgasmus, Köln [2]1969.

11 A. Hamann, Das Grundgesetz, Neuwied 1956, 109.

12 A. Hamann, a. a. O. 109. Der Art. 2 Abs. 1 GG lautet: »Jeder hat das Recht auf die freie Entfaltung seiner Persönlichkeit, soweit er nicht die Rechte anderer verletzt und nicht gegen die verfassungsmäßige Ordnung oder das Sittengesetz verstößt« (ebd. 78).

13 H. Scarbath, Geschlechtserziehung, Heidelberg 1967, 73.

14 H. Kentler, a. a. O. 46; G. Schmidt, Jugendsexualität und Sexualerziehung: betrifft: erziehung 3 (1970) 4, 11.

15 A. Comfort, Der aufgeklärte Eros, München [2]1966, 120.

16 H. Scarbath, a. a. O. 76.

17 H. Hötte, Aufklärung verkrampft (Die Zeit vom 20. 6. 1969); P. Berglar, Aufklärung mit Schockeffekt (Rheinischer Merkur vom 4. 7. 1969); J. Drews, Der Atlas (Süddeutsche Zeitung vom 1. 7. 1969); B. Nellessen, Sexualkunde – keine Zoologie (Die Welt vom 16./17. 6. 1969); B. Nellessen, Ein Sexualreport soll den Schülern alles über Mann und Frau sagen (Die Welt vom 20. 6. 1969); M. Leist, Biologische Aufklärung (Publik vom 20. 6. 1969); H. Rahms, Wer mag da noch lieben? (Frankfurter Allgemeine Zeitung vom 24. 6. 1969); R. Reiche, Zeugung ist Ordnung (Der Spiegel vom 7. 7. 1969); Wex – Stahl – Herrmann, Sexualkundeatlas im Kreuzfeuer (Die Zeit vom 18. 7. 1969); Karl Spiegel, Froschtest, Eisprung, Dottersack. Der asexuelle Sexualatlas (Konkret vom 28. 7. 1969); H. Schöne, Sex für Deutschlands Schüler (Münchner Katholische Kirchenzeitung vom 10. 8. 1969); F. Pöggeler, Sex oder Sexualität – das ist die Frage (Die Stimme der Familie von Juli/August 1969); Humanismus und Sexualität – Streit um den Sexualkunde-Atlas (Christ in der Gegenwart vom 10. 8. 1969).

18 M. Walden urteilt über den Versuch von Frau Strobel vernichtend: »In Frau Strobels Sexualatlas werden gewisse Praktiken mit dem Hinweis empfohlen, sie seien geeignet, ›die Begierde der Frau zu wecken‹. Was werden die Kinder wohl denken, die zu Hause darauf gelenkt wurden, daß Liebe die Legitimation der Lust sei? ›Begierde‹ ist ein antiethischer Begriff und wenn es darum gehen sollte, ›wertneutrale Informa-

tionen‹ über die Sexualität zu vermitteln, dann mag ›Begierde‹ zwar ein Wert sein – ein neutraler ist sie gewiß nicht (abgesehen davon, daß niemand gegenüber Werten neutral sein sollte)« (in: Der Freiheit eine Gosse: Die Welt vom 12. 9. 1970. Beilage).

19 Ein eigenes Wort wäre noch zu den emotionalen Werten des Atlanten zu sagen, insoweit darin überhaupt positive zu finden sind.

IV. Ziel einer christlichen Sexualerziehung: Partnerschaftliche Liebesfähigkeit

1 H. Schlier, Über die christliche Existenz: Besinnung auf das Neue Testament, Freiburg 1964, 123–134.

2 F. Böckle, Sexualität und sittliche Norm: StdZ 180 (1967) 253.

3 Vgl. K. Rahner, Ich glaube an Jesus Christus, Einsiedeln 1968, 26–29.

4 F. Böckle, Freiheit und Bindung, Kevelaer 1969, 26–27; ders., Pastoraltheologie der Ehe: Handbuch der Pastoraltheologie IV, Freiburg 1969, 18–20.

5 Vgl. R. de Vaux, Das Alte Testament und seine Lebensordnungen I., Freiburg 1960. Zur Interpretation von Genesis 1 und 2 vgl. H. Renckens, Urgeschichte und Heilsgeschichte, Mainz 1959, vor allem 201–204.

6 Vgl. dazu die Anmerkungen in: R. Bleistein, Zum Problem sexualethischer Normen für den vorehelichen Bereich: Kat. Blät. 94 (1969) 397–398.

7 F. Böckle, Ausgewählte Fragen der speziellen Moral I, Bonn 1969, 51–52.

8 K. Rahner, Glaube, der die Erde liebt, Freiburg 1966, 125.

9 F. Böckle / J. Köhne, Geschlechtliche Beziehungen vor der Ehe, Mainz 1967, 64.

10 J. Ratzinger, Zur Theologie der Ehe: ThQs 149 (1969) 68.

11 K. Rahner, Grundentwurf einer theologischen Anthropologie: Handbuch der Pastoraltheologie II/1, Freiburg 1966, 26 ff.

12 J. Schröteler (Hrsg.), Die Geschlechtserziehung, Düsseldorf 1929, 91.

13 K. Rahner / H. Vorgrimler, Kleines Konzilskompendium, Freiburg [4]1968, 500–502. Vgl. dagegen M. Goldstein / W. McBride, Lexikon der Sexualität, Wuppertal 1970, 95.

14 J. David, Neue Aspekte der kirchlichen Ehelehre, Bergen-Enkheim 1966; F. Böckle, Freiheit und Bindung, Kevelaer 1968. Bei F. Böckle finden sich auch entsprechende Hinweise zu den durch die Enzyklika »Humanae vitae« entstehenden Problemen.

15 Vgl. dazu Kapitel VII.

16 H. Kentler, Sexualerziehung, a. a. O. 60.
17 W. Günther, Sexualerziehung, beispielsweise: Frankfurter Hefte 25 (1970) 505.
18 Anmerkung zu Günther, ebd. 505.
19 Vgl. dazu: J. David antwortet M. Höflich, Christliche Ehe ohne Zukunft?, Düsseldorf 1969, 26. Dort stellt J. David auch klar, daß Partnerschaft von Teil (pars), nicht von Gleichheit (aequitudo) oder Ähnlichkeit (similitudo) kommt.
20 Interessant ist es, in diesem Zusammenhang die Positionen von M. Goldstein zum Thema »Partnerschaft« zu verfolgen. Vgl. Geschlechter-Erziehung als Beratung und Reifungshilfe: Der evangelische Erzieher 19 (1967) 353–357 mit dem Artikel »Partnerschaft« im Lexikon der Sexualität, a. a. O. 163, 166. Die Aussagen des 1. Beitrags sind sehr »subjektivistisch«, die des 2. Beitrags sind soziologisch und verarmt.

V. Konfrontation mit Ideologien

1. Dualistische Tendenzen

1 Kr. Ahlmark-Michanek, Jungfrauenglaube und Doppelmoral, Reinbek 1968.
2 Ebd. 14.
3 Ebd. 33.
4 Ebd. 39.
5 Ebd. 41.
6 Ebd. 42.
7 Ebd. 41.
8 Ebd. 71.
9 Ebd. 41.
10 Ebd. 31.
11 Ebd. 41.
12 Ebd. 43.
13 Ebd. 52.

2. Fragwürdige Emanzipation

1 H. Kentler, Der Jugend wird Heuchelei zugemutet: Twen vom 6. 6. 1967; Fernhalten und Ablenken. Tendenzen der »Aufklärungsliteratur«: deutsche jugend 1965, 397 ff.; Die Liebe lernen: Hessische Jugend 16 (1964) 2, 14–15; Leben ohne Tabus: Hessische Jugend 18 (1966) 5, 18–19; Was ist Sexualität?: underground 1969/1, 34; Frau und Mann: ebd. 1969/2; Religion – Moral – Gesetz: ebd. 1969/2; Sexualerziehung: ebd. 1969/4; Der Sexualität Entwicklung: ebd. 1969/5; Sexualverhalten im Jugendalter: ebd. 1969/5; Orgasmus und Perversion: ebd. 1969/7;

Sexualität und Aggression: ebd. 1969/8; Ehe und Familie: ebd. 1969/9; Entsexualisierung und Hypersexualisierung: ebd. 1969/10; Sexuelle Revolution: ebd. 1969/11; Experimente mit der Freiheit: ebd. 1969/12; Repressive und nichtrepressive Sexualerziehung im Jugendalter, in: Für eine Revision der Sexualpädagogik, München 1967, 9–48; Sexualerziehung, Reinbek 1970; Sexualerziehung – wozu?: Frankfurter Hefte 25 (1970) 508–511; Kommt eine neue Moral? Die sogenannte »Sexwelle«: Westermann Monatsmagazin 1970/8, 50–57; Moderne Zeltlagergestaltung (Vortrag in Radevormwald am 27. 10. 1969) (unveröffentl. Mskpt.).

2 Underground 1969/1, 34.

3 Sexualerziehung, a. a. O. 61/62.

4 Zitiert bei Kentler, Sexualerziehung, a. a. O. 45. Was die Berufung auf Fr. Schleiermachers Theorie von der »Aufopferung eines bestimmten Momentes« und »der Zukunft« angeht, so muß – zumindest in Beachtung der Vorlesungen von Schleiermacher aus dem Jahre 1826 (Gedanken zu einer Theorie der Erziehung. Hrsg. von H. Friebel, Stuttgart 1965, 39–46) gesagt werden, daß H. Kentler hier eine formale Betrachtung mit seiner vorgefaßten Ideologie füllt und keineswegs auf die anderen Schleiermacherschen Thesen von Behütung, Gegenwirkung und Unterstützung Rücksicht nimmt. Schleiermacher stellt gerade für das Knabenalter fest, daß ethisch bedenkliche Willensakte im Jugendlichen auftreten und mit ihnen Gesinnungen. Als Gegenwirkung sei ein Minimum an Strafen und Belohnungen notwendig, weil sonst »das Sinnliche unterstützt und die reine sittliche Entwicklung gehemmt werde« (vgl. dazu F. Blättner, Geschichte der Pädagogik, Heidelberg 1962, 179 bis 181). Daß Schleiermacher gerade auch sexualethische Axiome vorträgt, die heute zum Grundbestand einer theologischen Anthropologie zählen, die Theorie vom »ganzen« Menschen, von der Polarität der Geschlechter, von der Ich-Du-Gemeinschaft, hat Kentler tunlichst übersehen (vgl. H. Ringeling, Theologie und Sexualität, Gütersloh 1968, 60–62; K. Barth, Kirchliche Dogmatik III/4, Zollikon–Zürich 1951, 134). Vermutlich hätten gerade diese Ansichten von Fr. Schleiermacher die Applikation seiner Theorie von der »Aufopferung eines bestimmten Moments« auf die sexualpädagogische Praxis im Sinne Kentlers verboten.

5 Sexualerziehung, a. a. O. 47.

6 Ebd. 48–49.

7 Ebd. 40.

8 Sexualerziehung – wozu?: Frankfurter Hefte, a. a. O. 510.

9 Sexualerziehung – wozu?, a. a. O. 510.

10 Sexualerziehung, a. a. O. 81. H. Scarbath übt Kritik am Begriff

der »nichtrepressiven Erziehung«: es werde nicht hinreichend erkannt, daß der »Abbau pädagogischer und gesellschaftlicher Repression« nicht genüge (Geschlechtserziehung, in: Handbuch Pädagogischer Grundbegriffe I [München 1970] 524).

11 Sexualerziehung: underground 1969/3, 26.

12 Von Lust ist nicht die Rede: Die Zeit vom 7. 2. 1969, 56.

13 Sexualerziehung, a. a. O. 80.

14 Repressive und nichtrepressive Sexualerziehung im Jugendalter, a. a. O. 30.

15 Sexualerziehung, a. a. O. 77.

16 Ebd. 71.

17 H. Schelsky, Soziologie der Sexualität, Reinbek 1955.

18 Sexualerziehung, a. a. O. 74.

19 Ebd. 77.

20 Ebd. 78.

21 Ebd. 81.

22 Ebd. 76.

23 Ebd. 76.

24 Ebd. 27/28.

25 E. Bloch, Naturrecht und menschliche Würde, Frankfurt 1961.

26 E. Bloch, a. a. O. 234.

27 E. Bloch, a. a. O. 237. Vgl. zum Thema: H. Jäckel, Über das Glück als politische Kategorie: Das Parlament. Beilage: Aus Politik und Zeitgeschichte vom 30. 5. 1970, 19–31.

28 Sexualerziehung, a. a. O. 82/83.

29 Ebd. 83.

30 Ebd. 84.

31 Ebd. 84. Eine ähnlich unbefriedigende Auskunft gibt M. Goldstein in M. Goldstein / W. McBride, a. a. O. 201. Ein Psychoanalytiker wie A. Görres ist hierin allerdings anderer Auffassung, vgl. A. Görres, Methode und Erfahrungen der Psychoanalyse, München 1958, 158–164.

32 Ebd. 88/89.

33 Ebd. 90.

34 W. Reich, Massenpsychologie des Faschismus, Kopenhagen–Prag–Zürich 1934, 48.

35 W. Reich, Die sexuelle Revolution, Frankfurt 1966, 100.

36 W. Reich, Massenpsychologie des Faschismus, a. a. O. 48.

37 W. Reich, Dialektischer Materialismus und Psychoanalyse. Revolutionäre Schriften II, Berlin 1968, 44.

38 Sexualerziehung, a. a. O. 92.

39 W. Reich, Die sexuelle Revolution, a. a. O. 23. Mit diesem Grundsatz des naturalistischen Menschenbildes von W. Reich setzt sich G. Scherer kritisch auseinander, in: Anthropologische Aspekte der Sexwelle (Essen 1970) 75.

40 H. Kentler, Sexualerziehung, a. a. O. 92/93. Hier macht Kentler

es sich in Berufung auf W. Reich zu leicht. Daß die Sublimation für einen heutigen Psychologen noch ein »Problem« (auch mit positiven Seiten!) darstellt, wäre aus den Beiträgen zu entnehmen, die in der Zeitschrift Psyche in den letzten Jahren erschienen sind: H. Hartmann, Bemerkungen zur Theorie der Sublimierung: Psyche 10 (1956/57) 41–62; P. Heimann, Bemerkungen zur Sublimierung: Psyche 13 (1959/60) 397–414; H. Lincke, Bemerkungen zur Triebpsychologie der Ersatzbefriedigung und Sublimierung: Psyche 7 (1953/54) 501–520; G. Bittner, Sublimierungstheorie und pädagogische Psychoanalyse: Psyche 18 (1964/65) 292–304.

41 Kentler, Sexualerziehung, a. a. O. 92/93.

42 Ebd. 94.

42a H. P. Gente, Marxismus, Psychoanalyse, Sexpol I. (Frankfurt 1970) 9; zum Lebenslauf W. Reichs vgl. J. Ollendorff Reich, Wilhelm Rech, a personal Biographie (New York 1969).

43 E. Jones, Das Leben und Werk von Sigmund Freud III, Bern 1962, 200.

44 A. und M. Mitscherlich, Die Unfähigkeit zu trauern, München 1968, 184.

45 H. Kentler, Sexualerziehung, a. a. O. 101.

46 Ebd. 102.

47 Ebd. 102.

3. Neomarxistische Ideologie

1 AUSS = Aktionszentrum unabhängiger und sozialistischer Schüler, vgl. H. J. Haug / H. Maessen, Was wollen die Schüler? Politik im Klassenzimmer, Frankfurt 1969, 35; M. Liebel / W. Wellendorf, Schülerselbstbefreiung, Frankfurt [2]1969, 82–83; Bo Dan Andersen, S. Hansen, J. Jensen, Das kleine rote Schülerbuch, Kopenhagen [2]1970, 81–91; Zur vergleichbaren Situation der »Revolutionären Jugend in den 20er Jahren« vgl. E. Bornemann, Aufklärung brauchten wir nicht: underground 1970/3, 23–26, 42.

2 Haug/Maessen, a. a. O. 78; G. Amendt (Hrsg.), Kinderkreuzzug oder Beginnt die Revolution in den Schulen, Reinbek 1968, 129 ff.

3 W. Reich, Die sexuelle Revolution, a. a. O.; H. Kentler, Repressive und nichtrepressive Sexualerziehung im Jugendalter, a. a. O.; H. Marcuse, Der eindimensionale Mensch, Neuwied [3]1968; ders. mit R. P. Wolff / B. Moore, Kritik der reinen Toleranz, Frankfurt [4]1968; H. Bacia, Themen zur Sexualität, Bochum o. J.; R. Reiche, Sexualität und Klassenkampf. Zur Abwehr repressiver Entsublimierung, Frankfurt [3]1969.

4 Haug/Maessen, a. a. O. 117.

5 H. Marcuse, Der eindimensionale Mensch, a. a. O.
6 Dies ist genau die erste der Thesen von H. Kentler, a. a. O. 30.
7 Das sind praktisch die zwei Gebote, die A. Comfort in seinem Buch Der aufgeklärte Eros, a. a. O. 120 vorträgt. Vgl. dazu in diesem Buch Seite 36.
8 Haug / Maessen, a. a. O. 36/37. Vgl. die fortführenden, mit Psychoanalyse befrachteten »Thesen zur Sexualkampagne«, die der Bundesvorstand des AUSS im Juli 1969 veröffentlichte (abgedruckt in: betrifft: erziehung 2 [1969] 11, 31–33).
9 Kinderkreuzzug, a. a. O. 172.
10 Ebd. 147.
11 Ebd. 174.
12 Haug/Maessen, a. a. O. 118. Beachtenswert ist, daß diese neomarxistischen Theorien nun auch Aufnahme in dem Bändchen Kritischer Katholizismus (hrsg. von B. van Onna, M. Stankowski), Frankfurt 1969, 146–147, fanden. Im Kapitel »Repressive Sexualmoral oder Wer schläft, sündigt nicht« erkennt man deutlich Affekte gegen die Einehe und gegen die Familie, da in beiden nicht nur die Gesellschaft, sondern auch diese bürgerliche, mit diesem kapitalistischen Staat verquickte Kirche sich immer wieder reproduziert. Es wird plädiert für freie Formen solidarischen Zusammenlebens, wohl für Kommunen, in denen das Kind das Recht hat, sich die Bezugspersonen seines Vertrauens selbst auszusuchen.
12a Vgl. Psyche 1970 Heft 3; E. Fromm, Analytische Sozialpsychologie und Gesellschaftstheorie, Frankfurt 1970, 193–228. Entsprechende Texte werden vorgelegt in: H. P. Gente (Hrsg.), Marxismus, Psychoanalyse, Sexpol I, Frankfurt 1970.
13 E. Eucken-Erdsiek, Die Macht der Minderheit, Freiburg 1970.
14 Ebd. 75.
15 Ebd. 75.
16 Ebd. 77.
17 Ebd. 78.
18 Ebd. 81.
19 Ebd. 82.
20 Ebd. 85.
21 Ebd. 87.
22 H. Marcuse, Repressive Toleranz, in: Wolff / Moore / Marcuse, Kritik der reinen Toleranz, a. a. O. 127. J. Habermas kritisierte vor allem diese These von H. Marcuse (Zum Geleit, J. Habermas [Hrsg.], Antworten auf Herbert Marcuse, Frankfurt 1968, 15/16).
23 E. Eucken-Erdsiek, a. a. O. 90.
24 H. Ringeling, Theologie und Sexualität, Gütersloh 1968, 157 bis 158.

4. Biologistische Fixierung

1 A. Fromme, Der Sexual-Report, Stuttgart 1967, 54. W. H. Masters / V. Johnson, Die sexuelle Reaktion, Frankfurt 1967. Die beiden Gynäkologen verstehen Sexualität als ein geschlossenes System, das allein durch sein richtiges Funktionieren den Menschen in seinen Persönlichkeitswerten bestätigt. Ob man sie höheren Zentren zuordnen muß, interessierte sie nicht. R. Kaufmann kommentierte diese Art von Sexualwissenschaft in »Die optimalisierte Liebe« (Süddeutsche Zeitung vom 18./19. 11. 1967): »Immerhin gibt zu denken, daß der Mensch zwar essen, trinken, verdauen und atmen muß, um zu leben, daß er aber, aus freiem Willen oder durch die Umstände, jahrelang in Askese leben kann, ohne Schaden zu leiden. Er kann sozial tätig sein, Freundschaften haben, lieben, ohne den sexuellen Verkehr ausüben zu müssen. Das alles deutet auf viel komplexere Verknüpfung zwischen Persönlichkeit und Sexualität hin, als aus den Experimenten von Professor Masters hervorgeht, und insofern dürften diese für ein Gesamtverständnis des Menschen wenig Wert haben.«

2 Das Buch von Ford / Beach erschien Reinbek 1968.

3 Ford / Beach, a. a. O. 235; vgl. D. Haensch, Antisexuelle Propaganda, a. a. O. 31.

4 München [2]1966.

5 W. S. Schlegel, a. a. O. 217.

6 H. Hunger, Die Lehre W. S. Schlegels über die Sexualinstinkte des Menschen als Gefährdung des sexualpädagogischen Anliegens: Sexualität in Wort und Bild (Beiträge zur Sexualforschung 41), Stuttgart 1967, 35.

7 W. S. Schlegel, a. a. O. 220.

VI. Krise der Sexualmoral und Normenpluralismus

1 Vgl. zum Ganzen: A. Auer, Die Erfahrung der Geschichtlichkeit und die Krise der Moral: ThQs 149 (1969) 4–22.

2 G. Krüger, Grundfragen der Philosophie, Frankfurt 1958, 5.

3 K. Rahner / H. Vorgrimler, Kleines Konzilskompendium, a. a. O. 493–494. Zur Geschichtlichkeit der Moral siehe auch F. Böckle (Hrsg.), Das Naturrecht im Disput, Düsseldorf 1966; ders., Christliche Sexualethik im Umbruch, in: Sexualität ohne Tabu und christliche Moral, Mainz 1970, 132.

4 Vgl. dazu A. Auer, Vorehelicher Geschlechtsverkehr und katholische Moral: Ibw-Journal vom 18. 2. 1970, 19–22.

5 Vgl. dazu Kr. Ahlmark-Michanek, Jungfrauenglaube und Doppelmoral, a. a. O.; A. Comfort, Der aufgeklärte Eros, a. a. O.

6 H. Giese / G. Schmidt, Studentensexualität, a. a. O.

7 Vgl. Kapitel IV. dieses Buches.
8 Chr. Rohde-Dachser, Struktur und Methode der katholischen Sexualerziehung, Stuttgart 1970, 54, 56.

VII. Sittliche Normen des vorehelichen Lebens

1 Vgl. St. Pfürtner, Normen der Menschlichkeit: Erziehung zur Sexualität (Beitr. zur Sexualforschung 24), Stuttgart 1961, 62.
2 H. Schelsky, Die sozialen Formen der sexuellen Beziehungen: Die Sexualität des Menschen, a. a. O. 166.
3 A. Freud, Wege und Irrwege in der Kinderentwicklung, Stuttgart 1968, 15, 17 usw.
4 H. Schelsky, Die sozialen Formen, a. a. O. 164; ders., Soziologie der Sexualität, a. a. O. 95.
5 A. Adam, Der Primat der Liebe, Straubing ²1931.
6 A. Adam, a. a. O. 16–17.
7 J. Fuchs, Gibt es eine spezifisch christliche Moral: StdZ 95 (1970) 107. B. Schlegelberger ging in seiner Studie »Vor- und außerehelicher Geschlechtsverkehr«. Die Stellung der katholischen Moraltheologen seit Alphons von Ligouri (Remscheid 1970) dem Problem nach und kommt zum Ergebnis: »Für ein Schriftargument im eigentlichen Sinn reichen die anthropologischen Aussagen der Hl. Schrift ... nicht hin, weil sie zu beiläufig sind. Wohl aber begründen sie ein theologisches Vor-Urteil« (29).
8 Die kritischen Äußerungen von Chr. Rohde-Dachser (a. a. O. 18) zum Begriff der Liebe als einer »pluralistischen Vokabel", die eine »Leerformel« darstellt, geschehen in Berufung auf J. Fuchs: Die Liebe als Aufbauprinzip der Moraltheologie (Scholastik 29 [1954] 79–87). In diesem Literaturbericht wird gerade der folgende Satz von J. Fuchs übersehen: »Das richtig verstandene Liebesprinzip kennt nicht nur das Gebot der Liebe, sondern auch die Gebote der übrigen Tugenden: es löst die objektive Moral nicht auf zugunsten eines letztlich rein subjektiven Strebens der Liebe« (87). Vermutlich halten die inkriminierten, zur Interpretation der pluralistischen Vokabel »Liebe« notwendigen Attitüden und Verhaltensweisen nur jene »Gebote der übrigen Tugenden« fest, die der Auflösung der objektiven Moral widerstehen. Chr. Rohde-Dachser ist zuzustimmen, daß der penetrante und moralisierende Gebrauch der Vokabel »Liebe« in den bekannten Kleinschriften oft mehr als abstößt.
9 Thomas von Aquin, ScG III, 122; vgl. H. Klomps, Sexualität und ethische Norm: E. Ell / H. Klomps, Jugend vor der Ehe, Limburg 1967, 87.
10 H. Giese – G. Schmidt, a. a. O. 59–84; M. Schofield, a. a. O. 84

bis 91. Zur Geschichte der Onanie: R. Spitz, Autorität und Onanie: Psyche VI (1952) 4. Heft, 1–24.

11 A. Alsteens, Tabu im Reifungsprozeß, München 1969, 66, 87, 91–92.

12 A. Fromme, Der Sexual-Report, a. a. O. 14; ausführlich geht M. Leist, in: Angst vor Sex? (München 1970), auf diese Schuldgefühle des Jugendlichen ein (85–86) und gibt für diese Phase in der sexuellen Entwicklung insgesamt gute Ratschläge (83–88).

13 In der herkömmlichen Bewertung der Masturbation entdeckt man jeweils eine Doppelaussage – etwa bei B. Häring (Das Gesetz Christi III, Freiburg 1963): »Jede Ipsation ist an sich offenbar schwere Sünde« (309) und: »Es wäre verhängnisvoll, sie alle als Todsünder zu betrachten« (310). Ähnlich sagt L. M. Weber (LthK VII, 1157), die Sündhaftigkeit des Aktes liege nicht in der frustratio seminis, nicht in der Lustempfindung, sondern in der perversio actus. Später schreibt er: »Viele glauben, daß das gesamtmenschliche (nicht primär sexuelle) Problem der Selbstbefriedigung moraltheologisch differenzierter gesehen werden müßte.« Vgl. auch die Onanie-Diskussionen in den Jahren 1950–1952, auch 1960 in den Katechetischen Blättern, und ebenso: Gründel, Sexualpädagogik; Sacramentum Mundi IV (Freiburg 1969) 544–545.

14 In der Frage, wann eine »exzessive« Masturbation gegeben sei, wußte auch der Münchner Psychiater Fr. Riemann keinen Maßstab anzugeben (Vortrag bei der 2. öffentlichen Sitzung der »Gesellschaft zur Förderung tiefenpsychologischer und psychotherapeutischer Forschung« am 29. 4. 1967 in München).

15 Vgl. zum Kontrast: P. Browe, Beiträge zur Sexualethik des Mittelalters, Breslau 1932, 80–113; J. Schröteler (Hrsg.), Die geschlechtliche Erziehung, a. a. O. 120 ff., 178 ff.

16 Ähnliche Ansicht bei J. Gründel, Fragen an den Moraltheologen, München 1969, 68; ebenso A. Elsässer, Sexualethik aus katholischer Sicht: Sexualerziehung im Unterricht an weiterführenden Schulen, Freiburg 1970, 145.

17 M. Schofield, Das sexuelle Verhalten junger Menschen, a. a. O. 171–175.

18 Vgl. K. H. Wrage, Mann und Frau, Gütersloh [2]1966, 161; A. Jordi, Anthropologischer Beitrag zum Verständnis der männlichen Masturbation, Basel 1969, 113.

19 H. Kentler, Sexualerziehung, a. a. O. 182.

20 Vgl. in diesem Buch V/2.

21 A. Jordi, a. a. O. 132.

22 Daß das »Recht auf Lust«, von dem heute lauthals gesprochen wird, eine Danaergeschenk für den Jugendlichen ist, zeigt Chr. Meves, in: Chr. Meves / J. Illies, Lieben – was ist das?, Frei-

burg 1970, 107–113; vgl. zu diesem Thema auch: A. Grabner-Haider (Hrsg.), Recht auf Lust? (Wien 1970). Diese erstmalige Behandlung des notwendigen Themas läßt über die geringe Präzision des Buches hinwegsehen.

23 Vgl. H. Schwenger, Antisexuelle Propaganda, a. a. O.; H. Fritz, Aufklärung auf katholisch: Aspekte 2 (1968) 7/8, 4–6.

24 H. Schelsky, Die sozialen Formen der sexuellen Beziehungen: Die Sexualität des Menschen, a. a. O. 166; ausführlich und differenziert beschäftigt sich mit diesem Problem: R. Affemann, Geschlechtlichkeit und Geschlechtserziehung in der modernen Welt (Gütersloh 1970) 139–152.

25 Th. W. Adorno, Eingriffe, Frankfurt 1966, 101.

26 Kinderkreuzzug, a. a. O. 174; Haug/Maessen, Was wollen die Schüler, a. a. O. 116–118. Ähnlich H. J. Gamm, in: Kritische Schule.

27 Vgl. K. H. Wrage, a. a. O. 81–86.

28 B. Welte, Leiblichkeit als Hinweis auf das Heil, in: Auf den Spuren des Ewigen, Freiburg 1965, 86–89; C. S. Lewis schreibt die etwas launischen Sätze: »Ich muß es für einen von Gottes Scherzen halten, daß eine so himmelstürmende, anscheinend so transzendierende Leidenschaft wie der Eros in so unangemessener Symbiose mit einer körperlichen Lust gekoppelt ist, die wie jede andere Lust taktlos ihre Abhängigkeit von so irdischen Umständen wie Wetter, Gesundheit, Nahrung, Kreislauf und Verdauung verrät. Dank Eros scheinen wir manchmal zu fliegen; Venus gibt uns plötzlich einen Ruck, der uns daran mahnt, in Wirklichkeit seien wir nur ein Fesselballon« (Vier Arten der Liebe, a. a. O. 151).

29 Tertullian, De carnis resurrectione, 8.

30 A. Görres, An den Grenzen der Psychoanalyse, München 1968, 222.

31 B. Welte, a. a. O. 91.

32 C. S. Lewis, Vier Arten der Liebe, Einsiedeln 1961, 151.

33 H. Jone, Katholische Moraltheologie, Paderborn [16]1953, 194.

34 Der Begriff der »Keuschheit« ist heute sehr umstritten. Eine neue Definition würde etwa lauten: »Keuschheit ist die innere Bereitschaft des Menschen, die Geschlechtlichkeit in ihrem ganzheitlich personalen und sozialen Charakter anzuerkennen und in das Ganze des menschlichen Lebens sinngemäß einzuordnen; sie umschließt die frohe Annahme der eigenen Geschlechtlichkeit und ihrer Kräfte« (J. Gründel). Dementsprechend wäre Unkeuschheit jene Haltung, die einmal die Geschlechtlichkeit in ihrem ganzheitlich personalen Charakter nicht anerkennt und zum anderen nicht in das Ganze des menschlichen Lebens sinngemäß einordnet. Unzureichend scheinen Formulierungen wie »das unberechtigte Anstreben

der geschlechtlichen Lust«, »ein vom Menschen verfälschter Gebrauch, d. h. Mißbrauch der geschlechtlichen Befähigung«, »sinn- und zweckwidriger Gebrauch der Kräfte der Geschlechtlichkeit«.

35 F. Sieburg, Die Lust am Untergang, Reinbek 1961, 137–138: Entblößung für wen?

36 Zum Problem der Lust vgl. den leicht veränderten Standpunkt in »Die sexualpädagogischen Richtlinien für die Jugendseelsorge« (am 8. 11. 1964 von den deutschen Bischöfen gutgeheißen). Dort heißt es unter III/1: »Es ist psychologisch und theologisch falsch, Unkeuschheit einfach dahingehend zu bestimmen, daß sie das unberechtigte Anstreben der geschlechtlichen Lust sei. Unkeuschheit ist – in Abhebung von der Keuschheit – ein vom Menschen verfälschter Gebrauch, d. h. Mißbrauch der geschlechtlichen Befähigung« (W. Bokler / H. Fleckenstein, Die sexualpädagogischen Richtlinien, Main 1967, 13).

37 M. Mead, Mann und Weib, Reinbek 1958, 208. Über Petting urteilt M. Leist in: Angst vor Sex (a. a. O. 111): »So halten sich Bedenken und Zustimmung zu dieser Art vorehelicher Zärtlichkeit die Waage.« Trotzdem hält M. Leist Petting als »unentbehrliche Schule des Liebens« und für »eine rechtmäßige Form der Liebe", »wenn auch eine überholte Moral noch Bedenken anmeldet« (112). Differenziert dieses Urteil genügend?

38 H. Schelsky, Soziologie der Sexualität, a. a. O. 123.

39 Vgl. ebenso J. Gründel, a. a. O. 73–74; K. H. Wrage, a. a. O. 85, 158, 163.

40 H. Giese, Die Rolle des Hauses: Erziehung zur Sexualität, Stuttgart 1961, 93.

41 E. Ell / H. Klomps, Jugend vor der Ehe, a. a. O. 65–66; ausführlich bespricht M. Leist, in: Angst vor Sex? (a. a. O. 113–120), das Problem des vorehelichen Verkehrs und legt Argumente pro und contra (116–118) vor. Sie bietet zumindest zur Gewissensbildung brauchbare Überlegungen.

42 H. Kentler, Sexualerziehung, a. a. O. 182; vgl. dazu auch die Ausführungen von R. Affemann, a. a. O. 170–196, die selbst dann eine kritische Instanz darstellen, wenn man ihnen nicht bis ins letzte Detail zustimmt.

43 M. Schofield, a. a. O. 71.

44 H. Giese / G. Schmidt, Studentensexualität, a. a. O. 157.

45 R. R. Bell, a. a. O. Anm. 117. Ich verstehe nicht, wie G. Schmidt dagegen in »Sexualerziehung oder zensierte Aufklärung« (betrifft: erziehung 1 [1968] 1, 14) sagen kann: »Die hier postulierte Beziehung zwischen ›ehelichem Glück‹ und vorehelichen Erfahrungen ist nach sorgfältigen empirischen Untersuchungen nicht existent.«

46 R. R. Bell, a. a. O. 122.

47 J. Gründel drückt sich (a. a. O. 71) so aus, daß man diese Lösung auch in seiner Antwort bestätigt finden kann: ». . . so läßt sich ein solcher Vollzug nur dann voll verantworten, wenn ein Ehewille zugrunde liegt und wenn dieser nach Möglichkeit äußerlich bekundet wurde«; vgl. ders., Voreheliche Sexualität aus der Sicht des Moraltheologen: F. Oertel (Hrsg.), Lieben vor der Ehe?, Essen 1969, 76.

48 F. Böckle / J. Köhne, a. a. O. 36–37. Seit einiger Zeit wird das Problem der vorehelichen Beziehungen sehr diskutiert. Insgesamt zeichnet sich ein leichter Trend in Richtung auf die hier vorgelegte Ansicht ab. Vgl. insgesamt H. G. Pöhlmann / V. Schurr, Vorehelicher Sexualverkehr: Theologie der Gegenwart 11 (1968) 207–216; B. Häring, Wie unauflöslich ist die Ehe?: Der Spiegel vom 6. 4. 1970, 188; ders., Mein Interview mit dem Spiegel: Theologie der Gegenwart 13 (1970) 123–126; K. Kriech, Vorehelicher Geschlechtsverkehr in moraltheologischer Sicht: Schweizerische Kirchenzeitung 19 (1970) 274–278; V. Schurr, Wieder klandestine Ehen?: Theologie der Gegenwart 13 (1970) 172–174; B. Schlegelberger, a. a. O. 227–232. Zurückhaltender äußert sich: B. Strätling, Lieben vor der Ehe? Zur Frage vorehelicher Sexualbeziehungen; F. Schlösser (Hrsg.), Moral braucht Normen, Limburg 1970, 159–162; Im Gegensatz dazu vertritt G. Barczay, Revolution der Moral, Zürich–Stuttgart 1967, den Standpunkt, daß die Ehe (als totale und dauernde Lebensgemeinschaft) sich von der vorehelichen Beziehung (als partielle und zeitlich beschränkte Begegnung von Mann und Frau) unterscheidet – und allein dadurch und keineswegs durch etwaige sexuelle Kontakte unterscheidet (ebd. 208). Sein evangelischer Kollege W. Trillhaas vertritt (Sexualethik, Göttingen 1969) wiederum eine strengere Auffassung (ebd. 10 ff.); vgl. auch: H. R. Balz, Sexualität und christliche Existenz. Zum ethischen Problem des vorehelichen Geschlechtsverkehrs: Kerygma und Dogma 14 (1968) 273–306.

49 J. Fischer, Neue Moral unter die Lupe genommen, Wuppertal 1967, 32.

50 F. Böckle, Das Problem bekenntnisverschiedener Ehen in theologischer Sicht, Freiburg 1967, 21. – Im übrigen halte ich die Ehe als »Prozeß« auch für ein Unding, wie ich in den Kat. Blättern ja gerade im Hinblick auf die große Rechtsunsicherheit der Ehen geschrieben habe. Deshalb ist mir der Hinweis von A. Elsässer in: Sexualethik aus katholischer Sicht (a. a. O. 147) nicht verständlich, zumal er einige Sätze von mir aus dem Zusammenhang reißt.

51 Zum Thema Studentenehe vgl. R. Nave-Herz, Soziologische Aspekte der Frühehe: Kölner Zeitschrift für Soziologie und Sozialpsychologie 19 (1967) 484–510.

52 Aufklärung (Sampsel), Weinheim 1968.
53 H. Kentler, Von Lust ist nicht die Rede: Die Zeit vom 2. 2. 1969, 56.
54 Vgl. das Zitat von Lenin: »Diese Glas-Wasser-Theorie hat einen Teil unserer Jugend toll gemacht, ganz toll. Sie ist vielen jungen Bürschchen und Mädchen zum Verhängnis geworden. Ihre Anhänger behaupten, daß sie marxistisch sei. Ich danke für einen solchen Marxismus« (vgl. Die Zeit vom 17. 4. 1970).
55 Vgl. die Beiträge in der Zeitschrift Psyche, siehe Anm. V/2/40.
56 Kr. Ahlmark-Michanek, Jungfrauenglaube und Doppelmoral, a. a. O. Siehe dazu: R. Bleistein, Prinzipielle Vorüberlegungen zu einer Sexualethik des vorehelichen Lebens: Pädagogische Welt 23 (1969) 386–396.
57 A. Mitscherlich, Pubertät und Tradition: L. v. Friedeburg (Hrsg.), Jugend in der modernen Gesellschaft, Köln 1965, 297.
58 R. Spitz, Vom Säugling zum Kleinkind, Stuttgart 1967, 165.

VIII. Tabu oder Intimsphäre?

1 S. Freud, Totem und Tabu; GW IX. London [3]1961.
2 K. Sontheimer spricht den Tabus innerhalb einer Gesellschaft eine stabilisierende Funktion zu, sie verlieren aber ihre Schutzfunktion, wo sie nur dazu dienen, die Wirklichkeit zu verfälschen. »Darum ist die Tabuzertrümmerung in einer freien, dynamischen Gesellschaft ebenso nötig wie die beständige Schaffung neuer Tabus im Sinne einer ungefragten Übereinstimmung« (Tabus in der deutschen Nachkriegspolitik: Neue Rundschau 80 [1969] 218).
3 Vgl. dazu Kapitel II dieses Buches. H. Thielecke sagt: »Sobald das Geschlechtliche nur ein bloß apersonaler Drüsenvorgang ist – etwa im Sinn der ›Glas-Wasser-Theorie‹ –, schwindet auch sein Tabu.« Es ist seiner Meinung nach das Signal davon, daß der Mensch ein »Geheimnis« und darum auch »verwundbar« ist (Theologische Ethik III, Tübingen 1964, 559).
4 H. Kentler, Sexualerziehung, a. a. O. 94.
5 Ebd. 94.
6 M. Scheler, Über Scham und Schamgefühl. Schriften aus dem Nachlaß I, Berlin 1933, 106.
7 Kentler, a. a. O. 96. Das Problembewußtsein, das in dieser Aussage zur Darstellung kommt, ist bestürzend. Bei einem Symposion bestritten neulich junge Soziologen, daß ein »Schamgefühl« irgendeine Wertigkeit besitze, während der international anerkannte Arzt und Professor R. Bilz vor einiger Zeit dem Schamgefühl einen ausgesprochen anthropologischen Wert zuerteilte. Alle Verwahrlosung wurzele in Schamlosig-

keit und Schamhaftigkeit sei ein Zeichen psychischer Gesundheit, meinte Prof. Bilz.

8 H. Kentler, a. a. O. 97. Ganz auf der Linie dieser Forderung bewegt sich der Beitrag von E. Bornemann, Why don't we do it in the road: underground 1970/2, 20–23.

9 Zumindest ist auch H. Marcuse dieser Meinung, wogegen E. Eucken-Erdsiek in: Die Macht der Minderheit unter nationalökonomischen Gesichtspunkten zu anderen Ergebnissen kommt. Vgl. Kapitel V/3.

10 H. W. Dräger, a. a. O.

11 Vgl. Kapitel I/1.

12 H. Brandt, Freie Liebe im Jugendlager: Konkret vom 25. 8. 1969, 20–25.

13 Kommune 2, a. a. O. 301.

14 Vgl. Protokoll, hrsg. von der Kath. Landesarbeitsgemeinschaft für Jugendschutz Münster, S. 8; F. Rumler, Lasset die Kindlein zu mir kommen: Der Spiegel vom 23. 3. 1970, 214; Zum ideologischen Hintergrund: S. Bernfeld, Antiautoritäre Erziehung und Psychoanalyse I, II, Darmstadt 1969; vgl. das Heft 5/1970 der: Vorgänge, das sich ausschließlich mit dem Thema: Antiautoritäre Erziehung / Kinderläden beschäftigt, und ebenso: R. Bleistein, Antiautoritäre Erziehung: StdZ 96 (1971) 178 ff.

15 Inzwischen wurden diese Protokolle auch publiziert: Schülerladen Rote Freiheit (Frankfurt 1971); Protokoll vom 1. 12. 69 auf Seite 280–281.

16 Kindererziehung in der Kommune: Kursbuch Nr. 17, 147 ff; R. Dermitzel, Thesen zur antiautoritären Erziehung, ebd. 179 ff; Kursbogen, Kommune 2: Liebesspiele im Kinderzimmer (Beilage von Kursbuch 17).

17 Schülerladen Rote Freiheit, a. a. O. 333–337.

18 Protokoll der Herbsttagung: inzwischen liegt der Bericht über ein evangelisches Jugendlager vor, das sich auch diesen Problemen stellte: H. Hansen, Protokoll aus einem antiautoritären Ferienlager (München 1970); vgl. vor allem 146–163, 170 bis 174, 202–204.

19 Vgl. Kapitel I/1.

20 M. Mead berichtet, daß das Kind auf Samoa keine Intimsphäre kennt. »Geschlechtsverkehr, Schwangerschaft, Niederkunft, Tod sind vertraute Ereignisse.« Allerdings stellte sie dann auch bei den Samoanern »wenig Empfinden für Persönlichkeitsunterschiede und geringe Begriffe von persönlichen Beziehungen« fest. Als Grund dafür führt sie an den »zwanglosen geschlechtlichen Verkehr« (Leben in der Südsee, München 1965, 138–139). Vgl. dagegen die außerordentlich große Schamhaftigkeit der Manus (M. Mead, Mann und Frau, Reinbek 1959, 139).

21 S. Freud, Totem und Tabu, a. a. O. 26, 36, 42. Das »Lexikon der Sexualität« von M. Goldstein / W. McBride (Wuppertal 1970) wurde weithin nicht hinreichend auf seine ideologischen Hintergründe befragt. Vgl. dazu die Rezension des Verf. in: Jugendschutz heute (München) 6.–9. Folge 1970, S. 7–8. Kritisch äußerte sich ebenso M. Leist: Irrationales wird nicht erfaßt: Publik vom 29. 1. 71, während restlos zustimmen: G. Courts: Bewußt nur Informationen: Publik vom 29. 1. 71, B. Nitschke: Erhellung und Verdunkelung: Die Zeit vom 27. 11. 1970.

22 F. Sieburg, Die Lust am Untergang, a. a. O. 137.

23 Ebd. 132; eine Gegenposition vertreten: Th. v. H. Castner, Sexualrevolution und Schule (Neuwied 1971) 107–109.

24 Ebd. 133.

25 Die Zeit vom 17. 4. 1970, 2.

26 A. Mitscherlich, Auf dem Weg zur vaterlosen Gesellschaft, München 1965, 319.

27 Ebd. 327.

28 Zum Thema Intimsphäre vgl. ferner: A. Elsässer, Die persönliche Intimsphäre, Augsburg 1969; Zum Thema Tabu: Th. W. Adorno, Sexualtabus und Recht heute: Eingriffe, Frankfurt 1966, 99–124; K. Sontheimer, Tabus in der deutschen Nachkriegspolitik, a. a. O., der dort sagt: »Die gegenwärtige Phase der Enttabuierung unserer sozialen, politischen und moralischen Ordnung enthält die Chance zur Reform; sie enthält aber auch die Gefahr der Reaktion. Die Verantwortung für die Entwicklung liegt bei den Tabubrechern nicht minder als bei den Angegriffenen.« (221)

IX. Sexualinformation oder ganzheitliche Erziehung?

1 Richtlinien für die Sexualpädagogik in der Berliner Schule vom 26. 9. 1959: Sexualpädagogik in der Volksschule, Freiburg 1967, 375–380.

2 A. Beiler, Biologisches Sachwissen und Geschlechtserziehung, Ratingen 1966, 11.

3 Ebd. 19 ff.

4 M. Goldstein / H. Edelmann, Anders als bei Schmetterlingen, Wuppertal 1967.

5 Glaubensverkündigung für Erwachsene, Nijmegen/Utrecht 1968, 453–455.

6 Th. W. Adorno, Eingriffe, Frankfurt 1966, 103.

7 A. Wellek, Die Polarität im Aufbau des Charakters, Bern 1950, 249. J. H. Huijts greift auf A. Wellek zurück und stellt heraus: »Im Gewissen wird der Mensch auf sein Wollen und Handeln hin gebunden, aber nicht ohne Verankerung in Gemüt und Geist« (J. H. Huijts, Gewissensbildung, Köln 1969, 57).

8 Memorandum vom 5. 12. 1966. Vgl. Sexualpädagogik in der Volksschule, a. a. O. 402.

9 H. Schelsky, Soziologie der Sexualität, a. a. O. 118.

10 K. Horney, Der neurotische Mensch in unserer Zeit, Stuttgart 1951, 158.

11 Th. W. Adorno, Eingriffe, a. a. O. 101.

12 Vgl. H. Cox, Stadt ohne Gott?, Stuttgart 1966, 214.

13 W. Kretschmer, Die umstrittene sexuelle Aufklärung: Frankfurter Allgemeine Zeitung vom 12. 1. 1966. Ähnlich skeptisch gegen allzuviel Aktivität in diesem Bereich äußerte sich H. Rahms: »Da gibt es nichts mehr zu lachen. Vom Ernst der Sexualpädagogik. Glücksrezepte für alle« (Frankfurter Allgemeine Zeitung vom 2. 12. 1967): »Nun, ich glaube, es bleibt dabei, es gibt eine menschliche Erziehung und sonst gar keine. Sie schließt, unter Kulturvölkern, auch eine Zeit des Abwartens, der Abstinenz ein, und das Vertrautwerden mit den Dimensionen, die die Liebe in der Dichtung, der Literatur und der Musik andeutet. Das alles muß auf immer ›romantischer Qualm‹ bleiben, wenn man die Phantasie Heranwachsender zu sehr auf die medizinischen Fakten fixiert« (ebd.).

X. Sexualerziehung in der Familie

1 J. H. van den Berg, Metabletica, Göttingen 1960, 21–34; W. Hornstein, Jugend in ihrer Zeit, Hamburg 1966.

2 W. Braun, Geschlechtliche Erziehung im katholischen Religionsunterricht, a. a. O. 57–75.

3 H. Kentler, Sexualerziehung, a. a. O. 11.

4 Zur veränderten Familiensituation vgl. R. Mayntz, Die moderne Familie, Mainz 1955; G. Schwägler, Soziologie der Familie, Tübingen 1970; G. Lüschen / E. Lupri, Soziologie der Familie (Opladen 1971).

5 S. Freud, Drei Abhandlungen zur Sexualtheorie. GW V. London [3]1961; A. Freud, Wege und Irrwege in der Kinderentwicklung, Bern/Stuttgart 1968; R. Spitz, Vom Säugling zum Kleinkind, Stuttgart 1967.

6 Bücher für die Hand der Eltern: W. Buschmann, Das geht Eltern und Erzieher an, Limburg 1968; E. Ell, Grundlagen der Erziehung zu Partnerschaft und Ehe, Limburg 1968; G. Gebhardt, Von fünf bis fünfundzwanzig, Frankfurt 1968; M. Leist, Neue Wege der geschlechtlichen Erziehung, München 1968; H. Hunger, Kinder fragen – Eltern antworten, Gütersloh 1967; L. Nilsson, Ein Kind entsteht, Gütersloh 1967; J. Stahl, Antworten auf die Fragen unserer Kinder, Limburg 1966; Kl. Verch, Der unbekannte Körper, Wuppertal 1968; M. Leist, Kind – Geschlecht – Liebe, München o. J.

7 Kleinschriften für die Hand der Kinder: St. Hegeler, Wie ist das eigentlich, Mutter? (4–7 Jh.), München 1961; R. Odenwald, Der wunderbare Lauf des Lebens (8–11 Jh.), Kevelaer 1968; K. Seelmann, Woher kommen die kleinen Buben und Mädchen (9–12 Jh.), München [14]1968; R. Härtter, Ich werde ein Mann; ders., Ich werde eine Frau; ders., Warum lieben sich Mann und Frau und woher kommen die Kinder? Recklinghausen 1967.

8 H. Ringeling trägt diese Bedenken in: Ethik des Leibes (Hamburg 1965, 41) vor. Man muß ihm in seiner Feststellung zustimmen, doch muß dies so bleiben?

9 Vgl. Kapitel I und II dieses Buches.

10 »Die Feststellung des Personenstandes ist nicht nur ein juristischer, sondern bereits ein pädagogischer Akt«: H. Giese, Sexualwissenschaft für die Lehrerbildung: Die Deutsche Schule 1960/3, 137.

11 E. H. Erikson, Kindheit und Gesellschaft, Stuttgart 1961, 243.

12 M. Erni, Das Vaterbild der Tochter, Einsiedeln 1966.

13 Vgl. R. Bleistein, Die Jugend von heute und der Glaube von morgen, Würzburg 1970, 40.

14 R. Spitz, a. a. O. 146 ff.

15 Nach W. Stern spiegelt sich die ungehinderte Selbstbejahung im Bewußtsein als »Selbstgenuß«: »Dieser ist das naive, lustvolle Hingegebensein an das eigene Dasein, Erleben und Können, ein An-sich-selbst-Freude-Haben« (W. Stern, Psychologie der frühen Kindheit, Heidelberg [8]1965, 429).

16 Ein extremes, schockierendes Beispiel für die Begegnung mit den »nackten« Eltern berichtet Kommune 2 (a. a. O. 91/92), das H. Kentler (Sexualerziehung, a. a. O. 136) als gutes Beispiel einer »sexualfreundlichen« Erziehung anführt. Nachvollziehbare Ratschläge für diesen Aufgabenbereich bringt M. Leist in: Kind – Geschlecht – Liebe (a. a. O. 20–21). Das ganze Problemfeld besprechen (leider etwas zu emphatisch) P. Kraus / Fr. E. von Gagern, Mit offenen Augen, München 1969.

17 I. Haas, Heute ist es anders, a. a. O. 168/169.

18 Kinderladenprotokolle – und Kommentare. Vgl. Kapitel VIII, Anm. 14.

19 Anleitungen zu Gesprächen mit Jugendlichen: Siehe Kapitel XII dieses Buches. Daß das Storchenmärchen nie mehr einem Kind zugemutet werden sollte, ist allen Erziehern klar: vgl. M. Leist, Neue Wege der geschlechtlichen Erziehung, a. a. O. 51. Daß aber doch in diesem Wissensgebiet noch viel Unpräzises und Ungeklärtes vorhanden ist, hebt H. Hunger in Das Sexualwissen der Jugend (München–Basel, [4]1969) beeindruckend heraus.

20 K. Seelmann betont ausdrücklich die Freundlichkeit und Lustigkeit der Elternhäuser und sieht in der Unfreundlichkeit einen

der Gründe, »warum heute so viele junge Leute sich so rasch und früh in die Arme der Liebe stürzen« (Gespräche mit Kindern und Jugendlichen über sexuelle Fragen: Erziehung zur Sexualität, Stuttgart 1961, 125); auch H. J. Kreutz möchte die Funktion des Elternhauses nicht geschmälert sehen (Der heutige Stand der Sexualpädagogik in Deutschland: R. Kepp / H. Koester [Hrsg.], Empfängnisregelung und Gesellschaft, Stuttgart 1969, 61–62).

21 Vgl. Kapitel VIII.

22 Allein die Ankunft eines Geschwisterchens bringt jedes Kind in die Situation, sich mit dieser neuen Realität abzufinden, was sicher nicht ohne Verzicht möglich ist. Eltern müssen durch größere, offensichtliche Liebeszuwendung die Eifersucht des Kindes überwinden helfen, vgl. M. Leist, Neue Wege der geschlechtlichen Erziehung, a. a. O. 55.

23 Literatur zum Triebverzicht: R. Spitz, a. a. O. 164–166; I. Haas, a. a. O. 125–126; »Sexualerziehung ohne Restriktionstendenzen, in Konfrontation mit dem Triebproblem als Lebensaufgabe der Ich-Entwicklung, umfaßt also Charaktererziehung und nicht nur Sexualinformation, beschränkt auf genitale Funktionsbedeutungen« (T. Brocher, Kritische Überlegungen zu den Problemen der Sexualerziehung: Erziehung und Sexualität, Frankfurt 1968, 24).

XI. Sexualerziehung in der Schule

1 Vgl. E. Wiesböck (Hrsg.), Geschlechtliche Erziehung in der Schule, München 1969, 320–322.

2 Sexualpädagogik der Volksschule, Freiburg 1967, 375–380. In diesem Buch sind ebenso viele Erlasse und Stellungnahmen zum Problem der Sexualerziehung in der Schule abgedruckt.

3 Richtlinien für die Sexualerziehung in der Berliner Schule: Erziehung zur Sexualität, a. a. O. 164.

4 Ebd. 165.

5 H. Janssen, Zur Frage der Geschlechtserziehung an den Gymnasien: Ibw-Journal vom 15. 11. 1966.

6 H. J. Gamm, Kritische Schule, München 1970, 76 f., 202 f. »Hochheimer erinnert an jenes vielbeschworene Elternrecht, hinter dem sich Bischofsrecht verbirgt« (A. Plack, Kulturkritik als Wegweiser: Die Zeit vom 16. 10. 1970, 59 – in einer Rezension von: Kritik 1, Die autoritäre Gesellschaft, hrsg. von G. Hartfield [Opladen 1969]). Man wird auf diese Tendenzen mehr Augenmerk haben müssen, die auch auf dem 4. Deutschen Jugendhilfetag (Nürnberg 1970) deutlich sichtbar wurden (vgl. W. Hornstein [Hrsg.], Kindheit und Jugend in der Gesellschaft [München 1970] 86).

7 Das Elternrecht ist nicht in allen Verfassungen der Bundesländer ausdrücklich erwähnt, so nicht in den Verfassungen von Berlin und Hamburg.

8 Süddeutsche Zeitung vom 7. 10. 1968.

9 H. Kentler, Von Lust ist nicht die Rede: Die Zeit vom 7. 2. 1969; ders., Sexualerziehung, a. a. O. 148–155.

10 »Mögliche Fehlinterpretationen in Betracht gezogen . . .« Interview mit O. Brüggemann: betrifft: erziehung 2 (1969) 9, 8–9.

11 H. J. Gamm, a. a. O. 69–71.

12 Vermutlich liegt dies nicht nur daran, daß die Sphäre des Sexuellen immer noch mehr tabuiert ist, als man annimmt, sondern vor allem, weil die Vokabel »Lust« als Wort nicht »hoffähig« ist.

13 Vgl. Sexualpädagogik der Volksschule, a. a. O. 365–414; B. Strätling, Geschlechtserziehung als Auftrag der Schule, Limburg 1968, 157–165. Forderungen in Richtlinien bleiben so lange illusorisch, als die Vorbereitung der Lehrer und die wissenschaftliche Reflexion über Sexualpädagogik fehlen. H. Scarbath, Schule und Sexualerziehung: Erziehung und Sexualität, a. a. O. 73/74. Die bislang triste Wirklichkeit in dieser Hinsicht stellt dar: H. Kreuzer, Sexualpädagogik im Angebot der Pädagogischen Hochschulen: betrifft: erziehung 1 (1968) 8, 11–14.

14 Modellfall Skandinavien, Reinbek 1970, 19/20; E. Ottensen – Jensen, Sexuelle Erziehung in der Schule: Die gesunde Familie, Stuttgart 1958, 38–43.

15 Vgl. Anm. 12 Natürlich gibt es keine Sexualerziehung für »die« Schule, sondern nur differenziert nach Schularten: H. J. P. Mehl, Geschlechtserziehung in der Volksschule: Der evangelische Erzieher 19 (1967) 347–351; ders., Sexualerziehung in der Schule, Hannover 1969; Sexualerziehung im Unterricht an weiterführenden Schulen, Freiburg 1970.

16 Haug / Maessen, Was wollen die Schüler, a. a. O. 36.

17 G. Amendt (Hrsg.), Kinderkreuzzug, a. a. O. 127; vgl. G. Amendt, Sexfront, Frankfurt 1970.

18 Haug / Maessen, a. a. O. 112.

19 K. Barth, Die Revolutionierung der Schüler I, Mannheim o. J. 65.

20 Haug / Maessen, a. a. O. 78/79: Interview mit R. Reiche am 23. 9. 1968.

21 Ebd. 117.

22 Ebd. 117.

23 Ebd. 118.

24. H. Glaser, Eros in der Politik, Opladen 1967, 216.

25 Haug/Maessen, a. a. O. 117.

26 Vgl. H. Kentlers Buch Sexualerziehung und die Kritik in Kapitel V dieses Buches.

27 H. J. Gamm, a. a. O. 78.

28 Sexualunterricht, Weinheim 1969, 13.

29 Ebd. 19. Der Bundesminister für Familie und Jugend der BRD wies in der Drucksache V/2441 (vom 30. 11. 1967) im Rahmen eines längeren Textes über Geschlechtserziehung vor allem auf die notwendige Zusammenarbeit von Elternhaus und Schule hin (Seite 9 des Papiers). Die Funktion des persönlichen Gesprächs hebt K. Migner, Sexualerziehung in der Schule (Süddeutsche Zeitung vom 10./11. 2. 1968) besonders stark hervor.

30 A. Zitelmann / Th. Carl, Didaktik der Sexualerziehung, Weinheim 1970, 18; Castner, a. a. O. 158 ff.

31 Junge Menschen 1964, Bielefeld 1966, 165, 169.

32 U. Undeutsch, Die physische Entwicklung der heutigen Jugend, München 1966, 26, 27. Über die Einstellung der Lehrer und Lehrerinnen in der Schule informiert: F. Fippinger, Schule und Geschlechtserziehung, Weinheim 1969.

33 H. Grassel, Jugend, Sexualität, Erziehung, Ost-Berlin 1967, 130–131. Gut hebt auch die Aufstellung von H. Ruckdäschel diesen Trend heraus, Wiesböck, a. a. O. 303.

34 G. Fels, Zur Situation der Sexualerziehung an unseren Schulen: Der Biologieunterricht 5 (1969) 1, 20–21.

35 Amtsblatt des Bayerischen Staatsministeriums für Unterricht und Kultus vom 21. 4. 1969, 374–386.

36 G. Amendt (Hrsg.), Kinderkreuzzug, a. a. O. 167.

37 R. Wegmann, Sexualpädagogik in der Oberstufe Jungen: Sexualpädagogik der Volksschule, Freiburg 1966, 181: »Etwa die Zerlegung eines verendeten Muttertieres.« H. J. P. Mehl sagt dazu: »Der Mensch ist mehr als Pflanze und Tier, er ist eine Leib-Seele-Geist-Einheit, er ist das Ebenbild Gottes mit Verstand und freiem Willen. Erst wenn das erkannt und anerkannt ist, können wir Vergleiche mit Pflanzen und Tieren wagen« (a. a. O. 350). Gegen »biologistische« Tendenzen in der Geschlechtserziehung: J. Brauer, Geschlechtererziehung, Wuppertal-Barmen 1966, 42; M. Goldstein, Die Beziehungen der Geschlechter, Wuppertal-Barmen 1966, 50; K. H. Wrage, Mann und Frau, Gütersloh 1966, 26.

38 H. Scarbath, Geschlechtserziehung, a. a. O. 75.

39 Sexualaufklärung – Sexualerziehung, Kevelaer 1968, 29 ff.

40 Vgl. in diesem Buch S. 36; auch J. Daubenbüchel hält diese Normen – selbst für eine einseitig soziologisch gesehene Sexualität – für brauchbar: Lehrziel Liebesfähigkeit: betrifft: erziehung 2 (1969) 9, 13.

41 G. Fels, a. a. O. 9.

42 W. Kuhn, Freie Bahn für Sexualneurotiker in den Schulen?: Ruhrwort (Essen) 12 (1970) vom 21. 2. 1970. – In diesem Zusam-

menhang sei auf Auswahl und Einsatz audio-visueller Hilfsmittel hingewiesen: vgl. J. Brauer, Die audio-visuellen Mittler in der Geschlechtserziehung, München 1968.

43 Bei einer öffentlichen Diskussion im Jugendforum des Caritas-Pirkheimer-Hauses in Nürnberg am 20. 10. 1967 legte der Verf. folgende Thesen zum Thema »Sexualtabus in der Schule« vor:

1. Weil und insofern die Schule die Tatsache der Geschlechtlichkeit der Schüler und Schülerinnen im Gesamt der Erziehung übersieht, tritt sie in sexualpädagogischer Hinsicht nur in Aktion, wenn »sittliche Notstände« zu beheben sind (z. B. bei unzüchtigen Reden, Pornographie, sexuellen Verfehlungen innerhalb der Schule oder in der Freizeit).
2. Wenn die Schule über disziplinäre Maßnahmen und Elternabende hinaus tätig wurde, geschah dies meist bei einer sachlichen Information im Biologieunterricht, bei einer mystifizierenden Interpretation im Deutschunterricht und bei einer moralisierenden Bewertung der Sexualität im Religionsunterricht.
3. Die Sexualerziehung sollte in den schulischen Erziehungsvorgang – wenn auch subsidiär zum Erziehungsrecht der Eltern (GG Art. 6 Abs. 2) – integriert werden, im Sinne eines phasentypischen, sexualpädagogischen Geleits (G. Pfahler), in dem der intellektuelle, emotionale und normative Aspekt unlösbar miteinander verbunden ist.
4. Die Problematik der Sexualpädagogik in der Schule einer pluralistischen Gesellschaft besteht in den Normen, die jenseits aller Tabus das sexuelle Verhalten regeln. Hier sollten alle unterschiedlichen weltanschaulichen und religiösen Auffassungen geachtet und sachlich dargestellt, die Forderungen einer von allen annehmbaren »einfachen Sittlichkeit« (O. F. Bollnow) aber vorgelegt werden.

XIII. Gespräche mit Jugendlichen über Sexualprobleme

1 Der Erfahrungsbereich dieser Gespräche beschränkt sich auf Schüler und Studenten, bezieht sich also nicht auf junge Arbeiter und Angestellte. Daraus wird Logik und Artikulation der Argumente verständlich.

2 Vgl. dazu die Filme »Es« von Ulrich Schamoni und »Eine junge Welt« von Vittorio de Sica.

3 Hier übt das Versagen der Vätergeneration dem Nationalsozialismus gegenüber auch eine nicht zu unterschätzende Wirkung aus.

4 H. H. Muchow, Sexualreife und Sozialstruktur der heutigen Jugend, Reinbek 1959, 66, 67, 94–95; H. Bertlein, Das Sexualverständnis der Jugend heute, Hannover o. J., 70; W. Rössler,

Jugend im Erziehungsfeld, Düsseldorf o. J., 339; P. Seidmann, Moderne Jugend, Zürich 1963, 121; G. Wurzbacher (Hrsg.), Die junge Arbeiterin, München [3]1960, 100.

5 C. S. Lewis, Vier Arten der Liebe, a. a. O. 178.

6 F. Leist, Liebe und Geschlecht, Stuttgart 1961, 234.

7 M. Mead, Mann und Weib, a. a. O. 208.

8 Eine Norm, die mir explizit von der Kirche gesagt wird oder die mir implizit in der Erfahrung der Ordnung oder Unordnung meines Liebesverhaltens einleuchtet.

9 Der Begriff der »Natur« wird zumal von der Soziologie her immer mehr als sekundäre Rechtfertigung absolut geltender Normen und als Stabilisierungsfaktor traditioneller Gesellschaftsordnungen bewertet. Grundsätzlich wäre dabei schon der sozial-moralische und der kritisch-diagnostische Naturbegriff (H. Schelsky) zu unterscheiden. In der Geschichte der Moraltheologie erscheint ein vierfacher Naturbegriff: 1. Natur des menschlichen Erkenntnisvermögens, das »Angeborene« in der menschlichen Erkenntnis, 2. die metaphysische Wesensnatur, 3. die im menschlichen Tun intelligible Wesensstruktur der menschlichen Handlung, 4. die vorgegebenen biologisch-physiologischen Ordnungen des Menschen. F. Böckle sagt dazu: »Eine Analyse des jeweiligen Begriffs führt immer wieder auf die gleichen Erkenntnisse zurück: Erstens: Wurzelgrund des Naturrechtsdenkens ist die Urerfahrung eines transzendentalen Sollensanspruchs zur Selbstverwirklichung. Es ist die Unentrinnbarkeit, mit der wir uns selbst zugelastet sind. Dies ist der eigentliche Sinn der Korrelation von Sein und Sollen. Zweitens: Der konkrete Sollensgehalt kann nur aus der Sinndeutung menschlichen Daseins gefunden werden. Dabei ist der Mensch nicht einfach fixiert, er ist in eine Geschichte gestellt, in der er in steter geistiger Auseinandersetzung konkrete Daseinsentwürfe suchen muß« (Das Naturrecht im Disput, a. a. O. 140). Damit sind Vorgegebenheit und Absolutheit des Naturrechts einerseits, seine Geschichtlichkeit und Veränderlichkeit (auch im Maße der Erkennbarkeit) andererseits implizit mitbehauptet. Eine einseitige soziologische Betrachtung wird – zumal bei einer antimetaphysischen Attitüde – dem Begriff und Inhalt des »Naturrechts« nicht gerecht. Vgl. zum Problemkreis, H. Schelsky, Soziologie der Sexualität, a. a. O. 48–50; Chr. Rohde-Dachser, a. a. O. 28–52; H. Kentler, Sexualerziehung, a. a. O. 72–79; L. Oeing-Hanhoff, W. Wickler, F. Böckle, Naturgesetz und christliche Ethik (München 1970).

10 Das Ernstnehmen des Partners geschieht gerade dort, wo in der Liebe und in der intimen Hingabe fast unauflösliche emotionale Bindungen gestiftet werden. Über diese Frage schrieb S. Freud bereits 1918 unter dem Titel »Tabu der Virginität«

(GW XII, 161–180). Er kommt dabei zu der Feststellung, daß sich die Frau oft mit dem Mann, mit dem sie zum erstenmal Geschlechtsverkehr erlebe, besonders verbunden fühlt; dies gebe der Virginität in unserer Kultur ihre Bedeutung. Vgl. dazu: E. Jones, a. a. O. II, 355/356.

11 In dieser Art »Nächstenliebe«, ein tief im Gefühl verwurzeltes Bewußtsein der mitmenschlichen Solidarität und Verantwortung, ist nach E. Hapke Kraft zu echter Begegnung zu gewinnen. »Wo dieses Gefühl nicht die Persönlichkeit bestimmt, werden alle anderen Reglements vordergründig bleiben und leicht preisgegeben« (E. Hapke, Sexuelle Erziehung heute: Vorgänge 8 [1969] 101).

Sachregister

Personenregister